누구나 쉽게 배우고 누구나 알아야 하는

데이터과학

(아두이노, 사이버파이, 할로코드, 마이크로비트, 뇌파측정기)

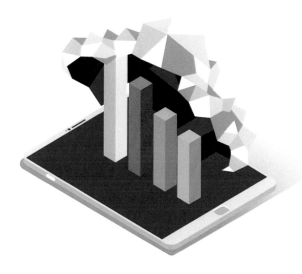

김은경, 김이현, 전부일, 송정희, 이수미, 차성희, 황명균 지음

누구나 쉽게 배우고 누구나 알아야 하는

데이터과학

발 행 | 2024년 05월 08일

저 자 | 김은경, 김이현, 전부일, 송정희, 이수미, 차성희, 황명균(가나다순)

펴낸이 | 한건희

펴낸곳 | 주식회사 부크크

출판사등록 | 2014. 07. 15.(제2014-16호)

주 소 | 서울특별시 금천구 가산디지털1로 119 SK트윈타워 A동 305호

전 화 | 1670-8316

이메일 | info@bookk.co.kr

출반기획, 디자인 | 하솜디자인(http://www.hasom-design.co.kr)

ISBN | 979-11-410-8416-5

누구나 쉽게 배우고 누구나 알아야 하는

데이터과학

(아두이노, 사이버파이, 할로코드, 마이크로비트, 뇌파측정기)

김은경, 김이현, 전부일, 송정희, 이수미, 차성희, 황명균 지음

CONTENTS

추천글

'**데**이터과학(아두이노, 사이버파이, 할로코드, 마이크로비트)' 책을 처음 접했을 때, 데이터 과학과 피지컬 컴퓨팅의 경계에서 실생활 문제를 해결하고 과학 실험을 가능하게 하는 방법을 읽고, "아, 이렇게 할 수도 있구나!" 하고 놀랐습니다.

"제1화 데이터 과학 개요"에서는 데이터 과학의 기본 개념과 과정, 인공지능과의 관계를 설명하며, 센서 데이터, 기계 학습, 뇌파를 활용한 데이터과학, 데이터 시각화 등 다양한 주제를 통해 이론을 실제로 적용하는 방법을 보여주는 내용이 매우 인상 깊었습니다. 특히, "이지메이커로 알아보는 센서 데이터"나 "천하무적 MCU사이버파이"와 같은 장은 과학 실험에 피지컬 컴퓨팅을 접목하는 혁신적인 방식을 소개하여, 데이터 과학을 학습하고 싶은 이들에게 매우 흥미로운 내용을 쉽게 이해할 수 있도록 제공합니다. 센서를 사용하여 데이터를 수집하고, 이를 분석하여 실제 생활 속 문제를 해결하는 과정은 창의적인 사고와 과학적 호기심을 자극하여 빨리 한번 해보고 싶은 마음이 생깁니다.

이 도서는 단순히 데이터 과학의 기술적 측면을 넘어, 데이터를 통해 우리 주변 세계를 이해하고 개선하는 데 필요한 도구와 지식을 제공합니다. 초급자도 쉽게 볼 수 있고, 중급자 이상의 독자들에게 창의적인 아이디어를 가져올 수 있도록 구성되어 있어, 특히 과학 실험과 컴퓨팅에 관심이 많은 학생들에게 권장되는 독서입니다.

광성중학교 정보교사

인하대학교 교육대학원 겸임교수(AI융합교육과)

궁금한 IT를 쉽게 듣는다(유튜브 운영)

인공지능의 날개를 단 피지컬 컴퓨팅 교사연구회 회장

한국인공지능교육학회 부회장

김세호

추천글

데이터 과학은 세상을 이해하고 변화시키는 강력한 도구입니다. 하지만, 초보자에게는 어디서부터 시작해야 할지, 어떤 책을 골라야 할지 막막할 수 있습니다.

이 추천사는 데이터 과학에 관심이 있는 초보자를 위한 길잡이가 될 것입니다. 쉽고 재미있는 학습, 단계별 학습, 실생활 활용을 중 심으로 구성되었으며, 스마트 비닐하우스, 뇌파 측정기, 마이크로비트 같은 전자 장치를 활용한 실습을 통해 직접 데이터 과학을 경험할 수 있도록 구성되어 있습니다.

데이터 과학은 현대 사회에서 더 이상 무시할 수 없는 중요한 역할을 하고 있습니다. 정보화 시대에 접어들면서 데이터양이 급격하게 증가하고 있으며, 이를 효과적으로 분석하여 가치 있는 통찰력을 얻는 것이 중요해지고 있습니다.

기업과 기관에서의 의사 결정에 중요한 역할을 합니다. 예측 모델을 활용하여 시장 동향을 예측하거나 고객의 행동을 분석함으로써 기업은 전략적인 의사 결정을 내릴 수 있습니다. 또한, 의료 분야에서는 환자 데이터를 분석하여 질병의 조기 진단이나 치료 방법의 향상에 기여할 수 있습니다.

데이터 과학은 미래의 직업으로 주목받고 있습니다. 데이터 과학자는 데이터를 수집하고 분석하여 인사이트를 발견하는 데 필요한 기술과 지식을 갖추고 있습니다. 이는 산업 혁명 4.0 시대에 접어들면서 매우 중요한 역할을 합니다.

요약하자면, 데이터 과학은 현대 사회에서 필수적인 역량으로 자리 잡고 있습니다. 데이터를 통해 인사이트를 발견하고 문제를 해결하는 데에는 데이터 과학이 더 이상 필요한 기술이며, 이 책을 통해서 미래를 이해하고 소통하는 중요한 매개체 되길 바랍니다.

마루한사회적협동조합 이사
참다솜교육사회적협동조합 대표

현정숙

추천글

최근 인공지능(Artificial Intelligence, AI)의 급속한 발전은 사회의 전 분야에 영향을 끼치고 있는 실정입니다. 특히 비즈니스 영역에서는 구매자의 기호분석(인지공학), 마케팅, 신제품개발 등에서 적극적으로 활용되고 있으며, 정부의 정책적 영역에 있어서는 공공복리와 관련하여 복지사각지역에 있는 국민들을 정확히 파악하고 보다 효과적인 구제정책 등을 실현하기 위하여 인공지능을 이용하기 시작하였습니다. 또한 과학의 영역에서는 장래 수치예측, 의학기술 개발, 우주개발 등 미래의 첨단산업과 밀접한 관련을 가지는 영역에서 인공지능의 개발이 더욱 요구되고 있으며, 가까운 시일 내에 폭발적인 발전을 가져올 것으로 예상됩니다.

이러한 인공지능이 더욱 고도화가 가능하기 위해서는 보다 광범위한 데이터를 수집하고, 수집된 방대한 양의 데이터를 보다 정확하고 빠르게 분석할 수 있어야 할 것이다. 데이터과학은 인공지능의 바탕이며, 인공지능의 발전은 데이터과학의 발전과 상호 보완적 관계에 있어 데이터과학의 진화가 인공지능의 촉진을 가져오고 최종적으로는 향후 산업과 기술개발에도 엄청난 영향을 미칠 것으로 보입니다.

이 책은 종래에 통계학이나 수학을 이용하여 데이터를 사람이 직접 분석하던 방법에서 벗어나 컴퓨터 알고리즘 및 시스템을 활용하여 수집된 방대한 양의 데이터를 보다 정확하고 신속하게 분석·해석하는 시스템적 방법에 대하여 기술하였다. 이를 위하여 다년간 데이터과학의 실무 경험과 강의 경력을 갖춘 전문가들이 이론 및 실무를 접목하여 초보자도 알기 쉽게 설명하고 있습니다. 또한 데이터 과학의 초보자는 물론, 실무가들도 적극적으로 활용할 수 있도록 구체적인 예들을 그림 및 표 등으로 이용하여 자세히 서술하였습니다. 따라서 데이터 과학에 관심이 있는 누구나가 이 책을 적극적으로 활용해야 할 필독서라 할 것입니다.

    이 책을 통하여 데이터 과학에 대하여 한 단계 더 발전하는 기회가 되기를 기원하며, 최종적으로는 국가 미래과학분야 발전에 초석이 되기를 간절히 바라는 바입니다.

법무법인 나눔 대표 **김동규** 변호사

이수미 ●

배재대학교 게임공학과 겸임교수

재능대학교 AI융복합과 겸임교수

한국폴리텍대학교 디지털융합제어과 외래교수

(주)씨마스 SW교육 전문강사

- SK 하이닉스 하인슈타인 과학인재 양성교육' 전문 강사 및 교육
컨텐츠 개발진(2021)

- 한국과학창의재단 학교밖 STEAM IoT 프로그램(오브젝트블록스)
교육 컨텐츠 개발진(2019)

저서 『Let's AI! Let's Python! Let's 자율주행 엠봇2』, 씨마스에듀(2023)

『할로코드 인공지능 스마트 하우스』, 씨마스에듀(2022)

송정희 ●

한국교육협동조합 이사장

렛츠메이크 대표

초등학교 방과후 컴퓨터 강사

오금초, 관모초, 후암초 SW강사

김은경 ●

마루한사회적협동조합 지국장

그린나래교육협동조합 감사

참다솜교육 사회적협동조합 감사

- 2023년 인천교육청 교육과학정보원 찾아가는 창의미래교육 운영

- 2023년 인천교육청 교육과학정보원 2학기 찾아가는 SW.AI 교육 운영

- 2023년 한국과학창의재단 SW.AI 캠프운영

- 2023년 인천지역 30개교 전체위탁운영

차성희 ●

사회적기업(주)로보메카 연구팀장

코딩엔메이커협동조합 이사

전) 인천어린이과학관 로봇, 코딩 강사

전) 하점초 방과후 강사

저서『그래프가 이야기 해주는 우리 이야기(빅데이터 시각화)』, 로보메카(2023)

황명균 ●

에듀파트 대표

초등학교 드론 방과후 강사

초등학교 로봇 방과후 강사

초등학교 코딩 방과후 강사

연현초, 당동초, 팔달초 항공드론강사

김이현 ●

김포시 청소년 꿈지기 위원

푸른미래강화교육 강사

- 찾아가는 창의미래교육 주강사(2021 ~ 2023)

- 디지털새싹 교안, 교재개발(2024. 농협대학교)

- 마루한사회적협동조합 우수강사(2022)

저서『슬기로운 검색생활(ChatGPT, Bard』, BOOKK(2023

전부일 ●

IT전문강사

그린플래그 고문

- 로보메카(주) 우수강사 표창패(2024)

- 디지털새싹 농협대학교 산학협력단 연구팀장(2024)

- 디지털새싹 교안개발『데이터과학과 레트로게임』(2024)

- 엘리오 교안개발(2023)

- 인천시 교육청 AI융합교육 중심고등학교 빅데이터 캠프진행(2022)

- 한국로봇산업 진흥원 표창장(2019)

- 인천시 교육청 우수강사(2019)

- 삼성크래프트 김포지점 홈페이지구축(2002)

저서『슬기로운 검색생활(ChatGPT, Bard』, BOOKK(2023), 『빛나는 나의 꿈-1 (PowerBI -데이터시각화)』, 『빛나는 나의 꿈-1 (실전편), 『그래프가 이야기 해주는 우리 이야기(빅데이터 시각화)』, 로보메카(2023) 외 다수

머리말 - 01

데이터 과학의 세계에 여러분을 초대합니다. 다양한 분석 기법과 도구를 배우고 사용하던 중 데이터 과학의 강력함과 무한한 가능성에 매료되었고, 특히 교육 분야에서의 잠재력에 주목했습니다. 초등학생도 배울 수 있는 데이터 과학 교재를 만들어 보자는 생각에서 출발한 것이 바로 여러분이 지금 보고 계신 이 책 '데이터 과학(아두이노, 사이버파이, 할로코드, 마이크로비트)'의 시작입니다.

이 책에서는 데이터 과학의 개념과 활용 사례를 재미있는 스토리와 함께 풀어가고 있습니다. 이지메이커(EZMAKER) 보드를 활용한 데이터에서는 IoT 기기로 수집한 데이터를 분석하는 방법을, 천하무적 MCU 사이버파이에서는 기계 학습을 활용해 데이터를 예측하고 분류하는 기술을 배웁니다.

뇌파를 활용한 데이터 과학 편에서는 실생활 데이터를 수집하고 시각화하는 과정을 경험할 수 있고, 오색 빛의 찬란한 할로코드에서는 데이터 탐색과 시각화 도구 활용법을 익힐 수 있습니다. 마지막으로 난 네게 반했어 마이크로비트에서는 가속도 센서 데이터로 운동량을 분석하는 사례를 만나볼 수 있습니다.

이 책의 특징은 데이터 과학 이론을 딱딱하게 나열하기보다는, 맥락이 있는 이야기 속에서 자연스럽게 개념을 이해하고 적용해 볼 수 있다는 점입니다. 등장인물들이 데이터 과학을 배우고 활용하는 과정을 쫓다 보면 어느새 여러분도 데이터 사이언티스트가 되어 있는 자신을 발견하게 될 거예요. 4차 산업 혁명 시대, 데이터 과학은 단순한 학문의 영역을 넘어 우리 사회 전반의

혁신을 이끄는 동력입니다. 기업의 의사 결정부터 사회 문제 해결, 과학 기술 발전에 이르기까지 그 어느 때보다 데이터의 힘이 막강해진 지금, 여러분도 데이터 사이언티스트로서의 역량을 키워 보시는 것은 어떨까요? 데이터 과학(아두이노, 사이버파이, 할로코드, 마이크로비트)의 세계로 향하는 여정에 이 책이 좋은 동반자가 되어 줄 것입니다.

배재대학교 게임공학과 겸임교수
재능대학교 AI융복합과 겸임교수
한국폴리텍대학교 디지털융합제어과 외래교수

2024년 봄, **이수미** 올림

머리말 - 02

본 책에서는 차트를 그리고 숫자가 춤추는 데이터 과학의 세계로 여러분을 안내할 것입니다. 여기서 숫자는 단순한 수치를 넘어서 이야기를 하고, 패턴은 우연이 아닌 필연을 드러냅니다.

　이 책은 데이터 과학의 기본 개념부터 시작하여, 점차 고급 분석기법까지 소개하고 있습니다. 각 장에서는 데이터를 어떻게 수집, 처리, 분석하는지, 그리고 그 과정에서 어떻게 의미 있는 인사이트를 도출할 수 있는지에 대해 설명하고 있습니다. 저는 이 분야가 단순히 숫자와 코드에 관한 것이 아니라, 우리가 세상을 이해하고 개선하는 데 필수적인 도구라는 것을 보여주고 싶습니다. 데이터 과학은 단순한 기술을 넘어서, 창의적인 사고와 문제 해결 능력을 요구합니다. 이 책을 통해 여러분이 데이터 속에 숨겨진 이야기를 발견하고, 그것을 실제 세계의 문제를 해결하는 데 어떻게 활용할 수 있는지 조금이나마 도움이 되기를 바랍니다. 본 책이 여러분의 데이터 과학 여정에 있어서 가이드가 되어 줄 것입니다. 자, 그럼 이제 차트를 그리고 숫자가 춤추는 놀라운 세계로의 첫걸음을 내딛어 볼 준비가 되셨나요?

한국교육협동조합

렛츠메이크

대표 **송정희**

머리말 - 03

데이터 과학은 현대 사회에서 매우 중요한 역할을 합니다. 이 분야는 데이터를 수집, 분석, 해석하여 의사 결정에 도움을 주는 핵심적인 기술과 방법을 제공합니다.

이 책은 라이브러리나 프레임워크를 사용하지 않고 '밑바닥부터' 데이터 과학과 관련된 알고리즘을 만들어보며 기본 개념을 설명합니다. 수학과 통계학 기초가 녹아든 데이터 과학의 주요 기술을 다룹니다. 데이터 분석을 시작하는 사람들을 위한 책으로, 쉽고 재미있는 입문서를 중심으로 추천됩니다. 그리고 데이터 과학에 대한 이해를 높이고 실무에서 활용할 수 있는 지식을 제공합니다. 데이터 과학은 기업에서 매출 예측, 고객 세분화, 재고 최적화, 마케팅 효율성 분석 등 다양한 분야에서 활용됩니다. 데이터를 분석하여 비즈니스 전략을 개선하고 의사 결정을 지원할 수 있습니다. 이 책은 여러분에게 관심 있는 분야를 선택하여 데이터 과학을 더 깊게 탐구해보는 초석이 되리라 생각됩니다.

마루한사회적협동조합

지국장 **김은경**

누구나 쉽게 배우고
누구나 알아야 하는 **데이터과학**

DATA
SCIENCE

CHAPTER

01

데이터과학개요

1-1 데이터 과학이란? 🌿

데이터 과학(DataScience)은 데이터에서 의미 있는 정보와 인사이트를 추출하기 위해 과학적 방법론, 알고리즘, 시스템을 사용하는 학문 분야입니다. 주로 컴퓨터과학, 통계학, 수학 등의 다양한 학문 영역에서 기법들을 가져와 데이터를 분석하고 해석하는데 활용됩니다. 데이터 과학은 데이터 마이닝과 유사하지만, 데이터 과학은 정형 및 비정형 데이터를 모두 포함하는 훨씬 더 광범위

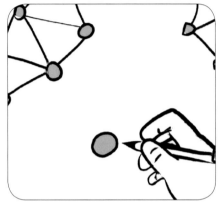

그림 1-1. DataScience

한 범위를 다룹니다. 데이터 과학의 주요 목표는 다음과 같습니다.

데이터에서 가치 있는 정보를 추출

데이터 과학자는 다양한 도구와 기술을 사용하여 데이터에서 패턴, 추세, 이상치를 식별하고 이를 통해 의미 있는 정보를 추출합니다. – 데이터 기반 의사 결정 지원 : 추출된 정보는 비즈니스, 정부, 과학 등 다양한 분야에서 더 나은 의사 결정을 내리는 데 활용됩니다.

새로운 제품 및 서비스 개발

데이터 과학은 새로운 제품, 서비스, 비즈니스 모델 개발에 활용될 수 있습니다. 데이터 과학은 다음과 같은 다양한 분야에서 활용됩니다.

비즈니스 고객 행동 분석, 마케팅 효과 측정, 신제품 개발, 가격 책정, 위험 관리

정부

정책 수립 및 평가, 공공 안전, 사회 문제 해결 – 과학 : 의료 연구, 기후 변화 예측,

신약 개발, 재료 과학데이터 과학을 구성하는 주요 요소는 다음과 같습니다. – 수학 및 통계 : 데이터 분석을 위한 기초적인 도구를 제공합니다.

컴퓨터 공학 데이터 수집, 저장, 처리, 분석을 위한 기술을 제공합니다.

영역 지식 특정 분야에 대한 지식은 데이터 분석 결과를 해석하고 활용하는 데 필수적입니다. 데이터 과학은 빠르게 성장하는 분야이며, 앞으로 더욱 중요해질 것으로 예상됩니다. 그리고 데이터 과학을 활용하여 데이터에서 가치를 창출하는 능력은 미래 사회에서 매우 중요한 경쟁력이 될 것입니다.

1-2 데이터 과학의 과정

데이터 과학은 다양한 산업 분야에서 활용되며, 예측 분석, 추천 시스템, 텍스트 마이닝, 이미지 분석 등 다양한 응용 분야가 있습니다. 물리적 코딩 관점에서 데이터 과학은 다양한 기술과 도구를 사용하여 데이터에서 통찰과 지식을 추출하는 과정으로 이해될 수 있습니다. 여기에 대한 세부 내용은 다음과 같습니다.

1 문제 정의

해결해야 할 문제를 명확히 정의하고 데이터 과학적 기법을 적용하여 해결하려는 목표를 설정합니다.

2 데이터 수집

물리적으로 데이터 수집은 센서, 데이터베이스, 로그 또는 기타 관련 자료에서 정보를 수집하는 과정을 포함합니다. 기기를 연결하여 데이터를 캡처하는 등의 물리적인 접근을 필요로 할 수 있습니다. 이것은 필요한 데이터를 수집하고 정리합니다. 다양한 자료에서 온라인 또는 오프라인으로 수집될 수 있습니다.

3
데이터전처리

데이터가 수집되면 종종 정제되고 분석할 수 있도록 준비되어야 합니다. 이 단계는 잡음을 제거하고 누락된 값들을 처리하며 데이터를 정규화하고 사용 가능한 형식으로 변환하는 것을 포함합니다. 물리적으로 이를 위해 스크립트나 프로그램을 작성하여 정제 과정을 자동화할 수 있습니다. 따라서 데이터를정제하고 정리하여 분석에 적합한 형태로 가공합니다. 이 과정에는 누락된 값이나 이상치의 처리 등이 포함될 수 있습니다.

4
탐색적 데이터
분석

EDA는 데이터를 시각적으로 탐색하여 그 안에 내재된 패턴, 트렌드 및 관계를 이해하는 것을 포함합니다. 이를 위해 데이터에서 통찰력을 얻기 위해 그래프, 차트 또는 기타 시각화를 생성할 수 있습니다. 정리하면, 데이터를 시각적 및 통계적으로 탐색하여 데이터의 특성과 패턴을 이해합니다.

5
모델링

데이터 모델링은 데이터를 분석하고 예측 또는 결정을 내리기 위한 수학적 모델이나 알고리즘을 구축하는 과정을 포함합니다. 이는 기계 학습 알고리즘, 통계 모델 또는 기타 분석 기술을 구현하는 것을 포함합니다. 물리적으로 이는 이러한 모델을 훈련하고 테스트하기 위해 코드를 작성하는 것을 의미합니다.

모델이 구축되면 성능과 정확도를 평가하여야 합니다. 이를 위해 테스트를 실행하고 결과를 분석하여 모델이 보이지 않는 데이터에 대해 얼마나 잘 수행되는지 결정할 수 있습니다. 모델의 성능을 평가하고 필요에 따라 수정하여 최적의 결과를 얻습니다.

⑥ 배포

모델이 훈련되고 유효성이 검증되면 실제 시스템에서 사용하여 예측이나 결정을 내리도록 배포되어야 합니다. 이를 위해 기존 소프트웨어 시스템에 모델을 통합하거나 쉬운 액세스를 위해 API를 생성하는 등의 작업이 필요할 수 있습니다. 만들어진 모델 또는 시스템을 실제 환경에 배포하고 지속적으로 모니터링하고 유지 보수합니다.

⑦ 결과 해석과 시각화

분석 결과를 해석하고 이를 시각적으로 표현하여 비전문가에게도 이해할 수 있도록 합니다. 이러한 프로세스 동안 데이터 과학자는 데이터를 조작하고 분석하기 위해 Python, R 또는 SQL과 같은 프로그래밍 언어를 사용하며 pandas, NumPy, scikit-learn, TensorFlow와 같은 라이브러리 및 프레임워크를 사용하여 프로세스를 최적화합니다.

1-3 데이터 과학과 인공지능 🌿

데이터 과학과 인공지능은 현대 기술 분야에서 중요한 역할을 하는 주요 주제입니다. 간단히 말해서, 데이터 과학은 데이터를 수집, 분석, 이해하고 유용한 정보로 변환하는 과정을 다루며, 이를 통해 기업이나 조직이 전략적인 결정을 내릴 수 있게 돕습니다. 반면에, 인공지능은 기계가 인간의 지능적인 기능을 모방하거나 수행하는 컴퓨터 시스템의 개발과 연구를 다룹니다.

데이터 과학은 데이터를 이해하고 분석하여 인사이트를 도출하는 과정을 포괄합니다. 주요 기술로는 데이터 마이닝, 머신러닝, 통계 분석, 데이터 시각화 등이 있습니다. 데이터 과학은 기업이나 조직이 데이터를 사용하여 문제를 해결하고 비즈니스 가치를 창출하는 데 큰 도움을 줍니다. 인공지능은 컴퓨터 시스템이 인간의 지능적인 작업을 수행하도록 하는 기술을 연구합니다. 이는 머신러닝,

그림 1-2. DALLE가 그린 인공지능

딥러닝, 자연어 처리, 컴퓨터 비전 등 다양한 분야를 포함합니다. 인공지능은 자동화, 패턴 인식, 의사 결정 지원 등의 다양한 응용 분야에서 사용됩니다.

데이터 과학과 인공지능은 많은 분야에서 상호 보완적으로 작용하며, 예측 분석, 추천 시스템, 자율 주행 자동차, 의료 진단, 금융 예측 등 다양한 응용 분야에서 혁신적인 솔루션을 제공합니다. 이 두 분야는 계속해서 발전하고 있으며, 향후에도 기술과 산업에 큰 영향을 미칠 것으로 예상됩니다.

DATA
SCIENCE

CHAPTER

02

그래프로
시각화하는
데이터 과학

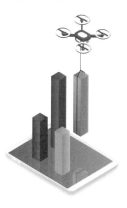

2-1 밝기센서와 네오픽셀을 활용한 데이터 확인하기

여러분들은 혹시 환하게 불이 켜져 있는 밤 길 옆의 비닐하우스를 본적이 있나요? 처음엔 그 환한 불빛이 마치 하얀 파도처럼 보여 바다인가? 라는 생각을 한 적이 있습니다.

그런데 알게 된 사실은 바로 깻잎농장의 비닐하우스라는 사실이었습니다. 그 소리를 듣고 처음엔 깻잎에게 잠을 재우지 않는다고? 라는 생각에 조금 의아했는데요 비닐하우스라 외부보다 더 햇빛이 부족하기 때문에 식물에 빛을 보충해주는 농법입니다. 부족한 빛을 보충하면서 온도를 올리는 반면 습도를 낮춰 병충해를 줄이는 효과도 있다고 합니다. 만약 여름철 비가 많이 올 때나 미세먼지, 겨울철 햇빛이 부족할 때 우리는 어떤 해결방법을 찾을 수 있을까요? 빛의 양이 어느 정도 부족 한 지를 알 수 있는 밝기센서와 태양빛을 대신하는 네오픽셀을 활용하여 적정 빛이 부족할 경우 네오픽셀이 스스로 켜지는 스마트 농법을 생각해 보도록 합니다.

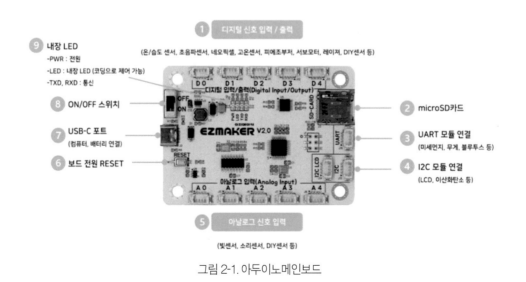

그림 2-1. 아두이노메인보드

그림 2-2. 사용 센서

그림 2-3 : 밝기센서

· 네오픽셀 LED센서는 프로그램에 따라 다양한 색상을 표시할 수 있습니다.

· 네오픽셀을 IN-OUT을 통해 추가로 연결하여 사용 할 수 있습니다.

· 밝기센서는 CDS 소자를 통해 주변의 빛을 감지하는 센서입니다.

· 디지털 신호를 통해 빛의 양을 0~1023 단계로 알려주는 감지기입니다.

· 아날로그 포트에 연결하여 사용합니다.

(1) 먼저 밝기센서를 이용해서 빛의 양을 알아보는 코딩을 해 봅니다.

그림 2-4. 회로도 : 밝기센서를 A0핀에 연결

첫째 https://ezon.ai 에 접속합니다.
(이지온은 설치 프로그램 없이 웹에서 코딩과 데이터분석이 가능한 프로그램입니다.)

데이터 수집을 클릭한 다음 데이터 전송에 센서데이터 블록을 추가합니다.

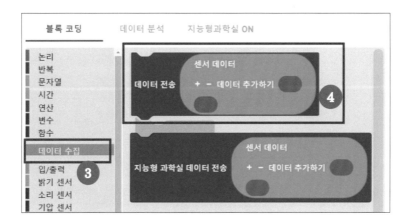

EZMAKER 설정과 반복에 데이터전송을 삽입하고 밝기센서를 다음과 일련의 작업을 합니다.

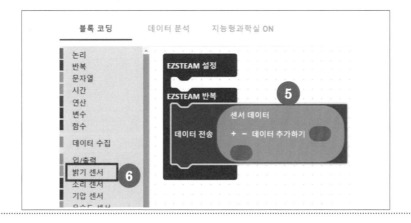

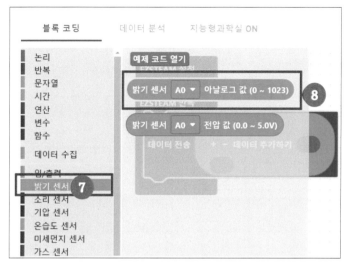

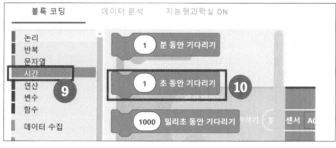

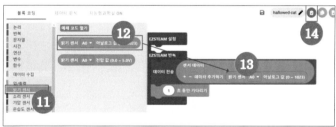

15번을 실행한 후에는 메인보드에 프로그램이 올라가게 됩니다.

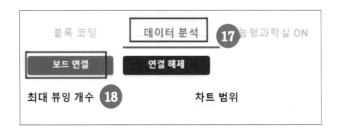

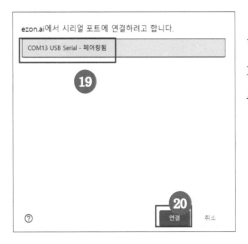

데이터분석과 시각화를 위해서 다시 한 번 보드를 연결합니다. 밝기센서를 손으로 가렸다 떼었다를 반복해 보세요. 차트가 춤을 추는 것을 확인 할 수 있습니다.

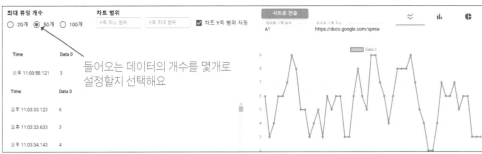

들어오는 데이터의 개수를 몇개로 설정할지 선택해요

들어오는 데이터에 따라 차트가 춤을 춰요.

시트로 전송을 누르면 데이터가 구글 시트로 들어오는 것을 확인할 수 있습니다.(로그인되어 있지 않을 시 에는 생성된 시트를 복사하여 구글주소창에 붙여넣기)로그인 되어 있을 때는 실시간 데이터가 들어오는 것을 확인 합니다.

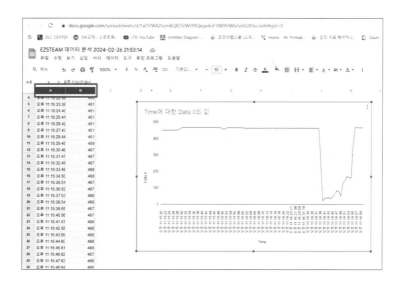

자동으로 열린 구글시트를 통해 실시간 데이터를 확인할 수 있으며 A, B열을 드래그한 후 [삽입]-[차트]를 눌러 실시간 데이터를 시각화 할 수 있습니다.

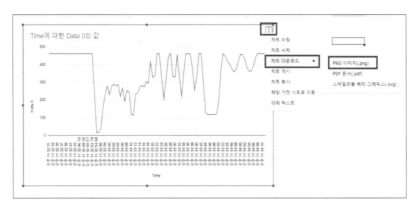

시각화된 차트를 활용하여 한글 문서로 보고서 작성하기

수집한 데이터와 시각화된 차트를 한글문서로 복사하여 멋진 보고서를 작성해 학교 및 대외 수상참가용으로 활용할 수 있습니다.

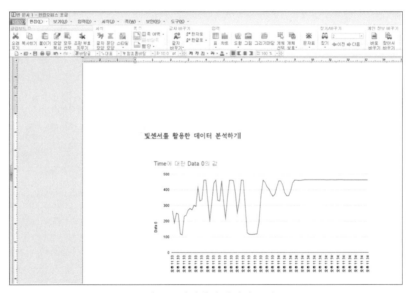

그림 2-5. 밝기센서 데이터 분석

데이터실험 및 데이터 수집, 데이터 시각화 및 보고서 작성까지 멋진 프로젝트를 완성할 수 있습니다.

스마트 비닐하우스

기존에 아두이노보드에 프로그램이 업로드 되어 실행된다면 메인보드를 먼저 초기화합니다.

클릭으로 쉽게 웹코딩 사이트에 접속 가능합니다.

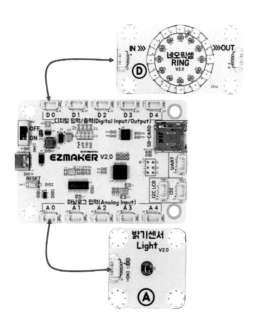

그림 2-6. 밝기 센서와 네오픽셀 연결 회로도

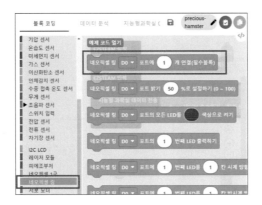
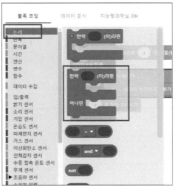

왼쪽부터 코딩블록1, 코딩블록2

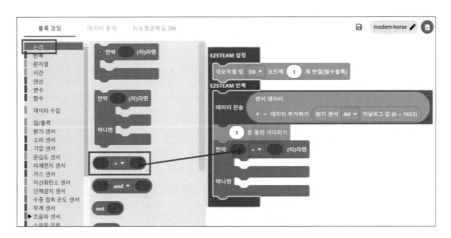

코딩블록3

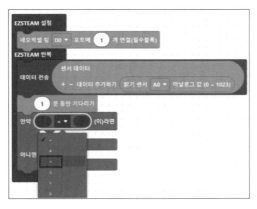

코딩블록 4 : 각 코딩에서 1분 동안 기다리기는 마음대로 설정합니다.

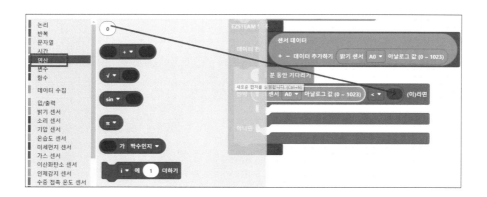

코딩블록5

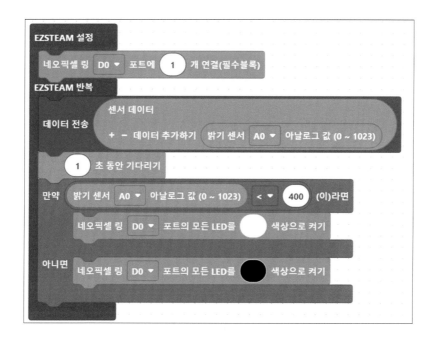

완성파일-조건 값 400은 여러분 마음대로 값을 정합니다. 손으로 밝기센서를 가립니다. 어두운 곳과 밝은 곳에서도 데이터를 확인해 봅니다.

컴파일 후 보드에 업로드 하기

400보다 작을 경우 : 네오픽셀 불 켜짐
400보다 클 경우 : 네오픽셀 불 꺼짐

데이터 시각화 하여 차트로 확인해 봅니다.

생각해 보기!

밝기센서와 네오픽셀을 이용하여 어떠한 곳에 활용할 수 있는지 이야기 해 봅니다. 과일과 채소전지의 전압을 측정해 보며 데이터를 통해 어떤 과일과 채소가 전압이 큰지 알아보겠습니다.

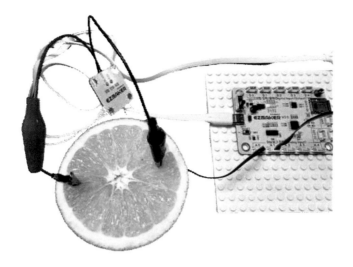

그림 2-7. 과일의 전압 측정

과일전지, 채소 전지가 무엇인지 쉽게 설명하기 위해 ChatGPT를 활용해 알아보도록 하였습니다. ChatGPT는 전압이 없다면, 전류는 흐르지 않고, 따라서 전기적 장치는 작동하지 않습니다. 라고 설명해 주고 있습니다. 과일과 채소에 따라 얼마만큼의 전압이 측정되는지 알아보는 데이터 과학 코딩을 해보도록 하겠습니다. 다양한 과일과 채소를 준비해 줍니다.

You
초등학생들에게 전압을 쉽게 설명해줘

ChatGPT
전압을 초등학생들에게 설명하기 위해서, 물과 물레방아(water wheel)를 예로 들어볼 수 있어요.

상상해보세요. 여러분이 큰 언덕 위에 서 있고, 언덕 아래에는 작은 물레방아가 있어요. 이제 여러분이 손에 큰 물통을 들고 있고, 그 물을 언덕 위에서 아래로 퍼붓기 시작합니다. 물은 언덕을 따라 내려가면서 물레방아를 만나고, 물레방아는 물의 힘으로 돌기 시작합니다.

여기서, '물'은 전기와 같고, '언덕의 높이'는 전압과 같습니다. 언덕이 더 높을수록, 물은 더 세게 물레방아를 돌립니다. 마찬가지로, 전압이 높을수록, 전기는 더 많은 '힘'을 가지고 전자기기를 '돌리거나 작동'시킵니다.

간단히 말해서, 전압은 전기가 얼마나 '강하게' 흐를 수 있는지를 나타내는 것입니다. 전압이 높으면, 전기는 더 큰 '힘'을 가지고 우리가 사용하는 기기들을 더 잘 작동시킬 수 있어요.

[사용 센서]

그림 2-8. DIY-B센서

· DIY-B 센서는 전도 현상을 이용하여 다양한 실험관련 장치를 제작할 때 사용합니다.
· 아날로크 포트에 연결하여 사용할 때는 전도 정도를 측정하는 전도계로 사용가능, 디지털 포트에 연결되면 ON, OFF와 같은 스위치로 사용 가능해요.

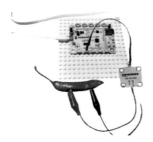

고추의 전압측정 코딩블록

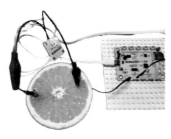

오렌지의 전압 코딩블록

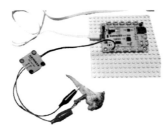

브로콜릭의 전압 코딩블록

데이터 수집을 다음과 같이 합니다.

코딩-코드컴파일-데이터분석-시트로 전송

	A	B	C	D	E	F
1	Time	Data 0		고추	오렌지	브로콜리
2	오후 7:08:51.721	11.72		12.62	9.06	11.72
3	오후 7:08:52.731	11.72		12.65	9.06	11.72
4	오후 7:08:53.741	11.72		12.67	9.11	11.72
5	오후 7:08:54.752	11.69		12.65	9.11	11.69
6	오후 7:08:55.762	11.72		12.65	9.08	11.72
7	오후 7:08:56.772	11.72		12.65	9.11	11.72
8	오후 7:08:57.783	11.69		12.65	9.11	11.69
9	오후 7:08:58.792	11.72		12.67	9.08	11.72
10	오후 7:08:59.803	11.74		12.65	9.03	11.74
11	오후 7:09:00.813	11.77	복사하여 붙여넣기	12.6	9.03	11.77
12	오후 7:09:01.824	11.77		12.57	9.03	11.77
13	오후 7:09:02.834	11.77		12.6	9.01	11.77
14	오후 7:09:03.845	11.77		12.57	9.06	11.77
15	오후 7:09:04.854	11.72		12.57	9.08	11.72
16	오후 7:09:05.865	11.69		12.62	9.08	11.69
17	오후 7:09:06.875	11.72		12.62	9.08	11.72
18	오후 7:09:07.886	11.72		12.65	9.06	11.72
19	오후 7:09:08.896	11.72		12.67	9.08	11.72
20	오후 7:09:09.906	11.72		12.65	9.06	11.72
21	오후 7:09:10.916	11.72		12.62	9.03	11.72
22						

들어온 데이터를 복사하여 옆 시트에 붙여넣기 합니다.

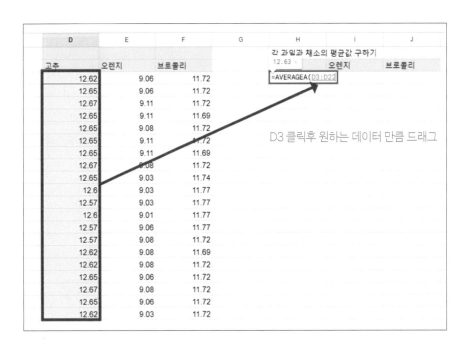

각 개체별 평균을 구해 보도록 합니다.

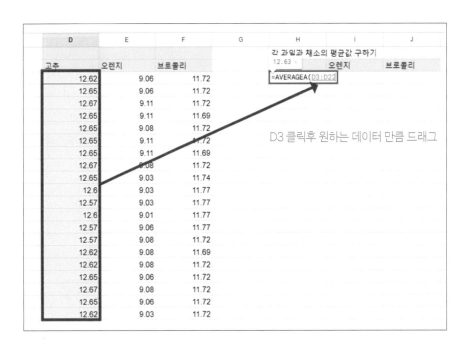

고추의 평균을 구하는 수식

	D	E	F	G	H	I	J
	고추	오렌지	브로콜리		각 과일과 채소의 평균값 구하기		
					고추	오렌지	브로콜리
	12.62	9.06	11.72		12.63		
	12.65	9.06	11.72				
	12.67	9.11	11.72				
	12.65	9.11	11.69				

고추의 평균값을 드래그 하여 오렌지와 브로콜리의 평균값을 자동으로 구합니다.

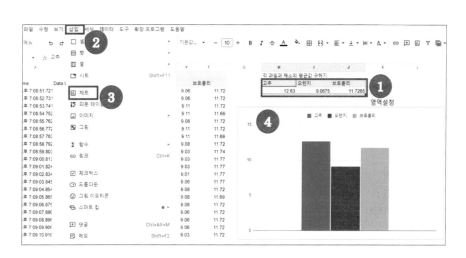

구글스프레드시트에서 평균값을 시각화 해보도록 합니다.

센서 실험 데이터를 통해 확인한 결과 고추 ▶ 브로콜리 ▶ 오렌지 순으로 전압이 높은 것으로 확인되었습니다. 그래서 수집한 실험 데이터가 맞는지 확인하기 위해 ChatGPT의 도움을 받아 확인해 보았습니다.

You
오렌지와 고추의 전압은 누가 높을까?

ChatGPT
오렌지와 고추를 이용한 전기 발생 실험은 각각의 과일이나 채소에 포함된 화학 물질과 전해질의 종류와 농도에 따라 다를 수 있습니다. 일반적으로 이런 실험에서는 과일이나 채소에 금속 전극을 꽂아 전기를 생성합니다. 이 때 전기의 발생은 전극 간의 화학 반응으로 인해 발생하는 전기화학적 특성 때문입니다.

오렌지와 고추 모두 전해질을 함유하고 있으나, 그 양과 종류는 다를 수 있어 발생하는 전압도 다를 수 있습니다. 오렌지는 시트르산을 많이 함유하고 있어 일반적으로 전기를 발생시키는 실험에 사용됩니다. 반면, 고추에는 다른 종류의 유기산이 포함되어 있을 수 있으며, 그 양도 오렌지에 비해 적을 수 있습니다. 그러나 이러한 차이가 실제로 전압의 차이를 만들어내는지 확인하기 위해서는 실제 실험 데이터가 필요합니다.

직접 실험을 하지 않고서는 어느 쪽이 더 높은 전압을 생성할지 정확히 말하기는 어렵습니다. 그러나

그 결과 "전압을 측정한 결과 값은 다 달라질 수가 있습니다." 라고 이야기 하고 있습니다. 실험과학을 통해 정확한 데이터를 얻기를 바랍니다.

💡 **예측해 보기!**

과일과 채소의 전압 데이터 수집을 실험한 결과 전압에 따라 LED의 밝기는 어떻게 될까? 전압의 크기에 따라 LED는 밝아지겠지? 라는 예측이 가능해 졌습니다. 과연 어느 정도 LED의 밝기 차이가 날까요? 먼저 추가되는 LED를 하나 준비합니다.

[LED알아보기]

· LED는 극성이 있어요. 그래서 연결할 때는 +,와 -를 확인 후 연결합니다.

· 극성을 확인하는 방법은 2가지가 있습니다. 다리부분의 길이로 구별하는 방법으론 긴 다리가 + 극성, 짧은 다리가 - 극성입니다. 하지만 다리 길이로 구별이 어려운 경우, 머리 부분의 얇

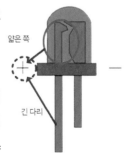

그림 2-9. LED 극성

은 쪽으로(+), 두꺼운 쪽(-)로 구별하는 방법이 있습니다.

[LED와 악어케이블의 연결방법에 대하여 알아보기]

· LED는 악어케이블의 검정색 케이블이 - 극성 이며, 빨간
색 케이블이 + 극성입니다. +, - 극성 때문에 함께 구입한
고추를 활용하여 각 극성에 맞게 LED를 연결해 봅니다.

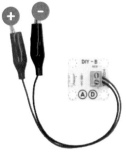

그림 2-10. DIY-B

어떤가요? 불이 들어오지요? LED에 불이 켜지는 것을 확인할 수 있습니다. 어느
정도의 밝기인지 불도 꺼보고 어두운 곳에서 확인도 해 보시길 바랍니다.

이번에는 두 번째로 전압이 높은 브로콜리에 LED
를 연결하여 확인해 보도록 하겠습니다. 브로콜리
를 사용하여 결과를 확인합니다. 브로콜리에 연결
되어 있는 검정색 악어 클립에 LED의 - 극성을 연
결하고 빨간색 악어클립에 +극성 LED를 연결합
니다. 역시 LED에 불이 켜지는 것을 확인할 수 있
습니다.

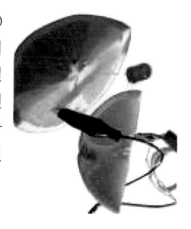

오렌지의 검정색 케이블에 LED의 – 다리 연결, 빨간색 케이블에 + 다리 연결합니다. 이번에는 오렌지에 LED를 연결해 보도록 합니다.

신기하게도 과일과 채소에 LED를 연결해도 불이 들어온다는 사실을 확인할 수 있었습니다.

2-3 예측한 결과 확인하기

측정 데이터의 평균값에 따라 LED의 밝기가 차이가 있음을 확인하였습니다.

예측한 대로 LED의 밝기는 고추 ▶ 브로콜리 ▶ 오렌지 순으로 확인되었습니다. 여러분들도 다양한 과일과, 채소, 물건들로 다양한 실험과 예측을 통해 멋진 보고서를 작성해 봅니다.

💡 생각해 보기!

여러분은 어떤 물건을 이용해 LED의 밝기를 확인하고 싶으세요?
주변의 물건을 이용해 가장 전압이 높은 물건은 무엇인지 찾아 보고 예측한 대로 LED가 밝게 켜지는지 확인하는 실험을 해 봅니다.

2-4 소리센서를 활용한 소음감지기 만들기

주변의 소음을 측정할 수 있는 센서가 바로 소리 센서입니다. 소리 센서를 활용해 재미난 실생활 물건을 만들어 봅시다.

이번 시간에는 평상시 소리는 어느 정도 값을 가지는지 데이터를 통해 알아보고

조용할 때는 데이터에 노란색, 중간 값을 가질 때는 민트색, 소음이 감지되면 빨간색으로 데이터가 바뀌도록 수집된 데이터에 조건부 서식을 지정하는 방법까지 알아보도록 하겠습니다.

1. 먼저 회로도를 알아보도록 합시다.

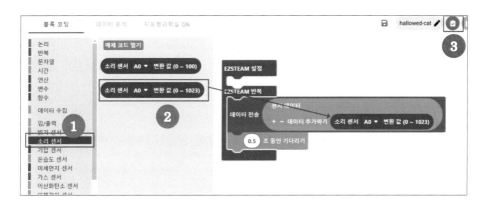

소리센서를 아날로그0번 핀에 (A0)에 연결합니다.

2. 이지온 사이트로 이동합니다. https://ezon.ai/ 블록코딩 후 3번 코드 컴파일후 데이터 분석클릭 - 보드연결 - 들어오는 데이터를 시트로 전송합니다.

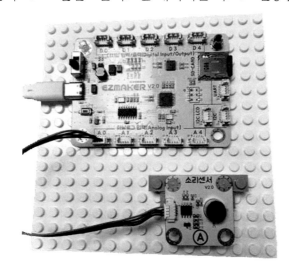

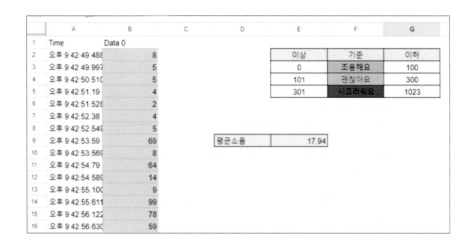

수식 : =AVERAGE(B2:B51)

평상시 소음측정값의 데이터를 수집 후 평균값을 내 보도록 합니다.

이번에는 책상도 두드려 보고, 박수도 쳐보고, 소리도 질러 볼까요? 차트가 춤을 추지요?

그럼 이번에는 데이터에 소음에 따라 데이터 셀의 색이 달라지도록 구글스프레드 시트에 조건부 서식을 적용해 보도록 하겠습니다.

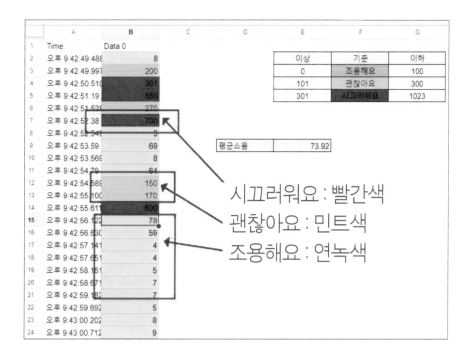

시끄러워요 : 빨간색
괜찮아요 : 민트색
조용해요 : 연녹색

들어오는 데이터에 색깔별로 구별이 된다면 언제 소음이 발생했는지, 각 색깔별 평균값은 어느 정도인지도 결과 값을 예측할 수 있습니다.

지금부터 구글스프레드 시트 데이터에 조건부 서식을 지정하는 방법을 알아보도록 하겠습니다.

'조용해요' 일 경우 조건부 서식

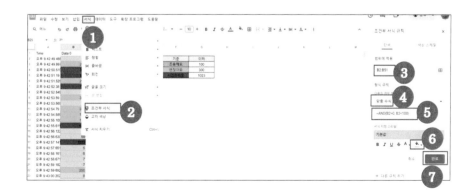

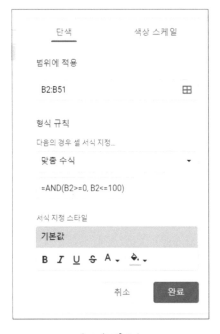

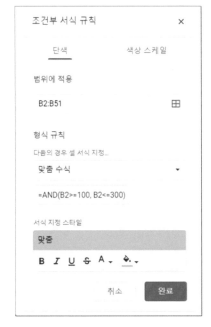

'조용해요'　　　　　　　　　　'괜찮아요'

　　들어오는 데이터의 소리 값에 따라 색깔 데이터로 표현이 되었나요? 이처럼 소음감지기를 이용해 어느 시간 때에 소음이 발생했는지 확인을 해 보았습니다. 여러분들은 소리센서를 이용해 어떠한 장치를 만들고 싶으세요?

MEMO

DATA
SCIENCE

천하무적
MCU 사이버파이
(기계학습과 예측분석)

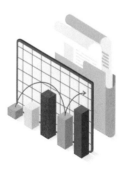

3-1 기계학습(Machine Learning)

기계학습은 인공지능(Artificial Intelligence, AI)의 한 분야로서, 데이터를 분석하고 학습하여 명시적인 프로그래밍 없이도 예측이나 결정을 할 수 있게 하는 기술입니다. 이 과정은 사람이 배우는 방식과 유사하게, 기계가 경험을 통해 지식을 축적하고, 새로운 상황에 대응하도록 합니다. 기계학습의 기본은 데이터에서 패턴을 발견하고, 이를 기반으로 앞으로의 데이터나 사건을 예측하는 것입니다.

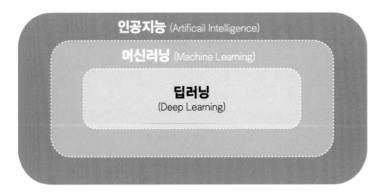

그림 3-1. 인공지능의 포함 관계도

기계학습은 크게 지도학습, 비지도 학습, 강화학습으로 분류됩니다. 지도학습은 정답이 있는 학습데이터(레이블이 붙은 데이터)를 사용하여 모델을 훈련시키는 방법으로, 입력과 그에 대응하는 출력사이의 관계를 학습합니다. 이 지도학습은 이미지분류, 예측모델, 스팸필터링 등에 적용합니다. 비지도 학습은 정답이 없는 학습데이터(레이블이 없는 데이터)를 사용하여 숨겨진 구조나 패턴을 찾아내는 방법이며, 클러스터링이나 차원 축소, 고객 세분화, 추천시스템 등에 적용됩니다. 강화학습은 환경과의 상호작용을 통해 얻은 보상을 최대화하는 방법을 학습하는 과정으로, 의사결정과정이 중요한 문제(게임, 로봇제어, 금융거래 등)에 적용됩니다.

기계학습의 중요한 개념 중 하나는 '특성(Feature)' 입니다. 특성은 데이터의 구성 요소로서, 학습 과정에서 모델이 입력 데이터로 부터 패턴을 인식하는데 사용됩니다. 효과적인 특성을 선택하고 추출하는 것은 모델의 성능에 큰 영향을 미칩니다.

또 다른 핵심 요소는 '모델(Model)'입니다. 모델은 데이터에서 학습된 패턴을 표현하는 수학적인 구조로, 새로운 데이터에 대한 예측을 수행하는데 사용됩니다. 다양한 유형의 기계학습 알고리즘 이 있으며, 각기 다른 유형의 문제에 적합합니다. 예를 들어, 선형회귀(Linear Regression), 결정트리(Decision Tree), 랜덤 포레스트(Random Forest), 서포트 벡터 머신(Support Vector Machine), 신경망(Neural Network)등이 있습니다.

그림 3-2. 기계학습의 분류도

기계학습의 성공은 대량의 데이터와 강력한 계산 능력에 기반을 두고 있습니다. 대용량 데이터셋을 통해 훈련된 모델은 더 정확한 예측을 할 수 있으며, 클라우드 컴퓨팅과 같은 기술의 발전은 이러한 데이터를 처리하는 데 필요한 계산 능력을 제공합니다.

기계학습은 다양한 분야에 적용될 수 있습니다. 의료 진단, 주식시장 분석, 자연어 처리, 이미지 인식, 자율 주행 자동차 등 많은 영역에서 기계학습이 중요한 역할을 하고 있습니다.

3-2 지도학습과 비지도 학습

앞에서 설명한 기계학습의 분류 중 지도학습과 비지도 학습은 데이터 분석에서 중요한 역할을 합니다. 이 두 방법은 데이터에서 지식을 추출하고 예측 모델을 구축하는 데 사용되지만, 접근 방식과 활용 분야에 차이가 있습니다. 그 세부 내용을 우리가 사용할 선형회귀(Linear Regression)를 중심으로 알아보겠습니다.

(1) 지도학습

지도학습은 레이블이 지정된 데이터를 사용하여 모델을 학습시키는 과정입니다. 이 방식은 입력 데이터(X)와 출력 데이터(Y)사이의 관계를 모델링하려고 할 때 사용됩니다. 지도학습의 대표적인 예로 선형회귀와 분류(Classification)가 있습니다. 이중 선형회귀는 연속적인 값을 예측하는 데 사용됩니다. 예를 들어, 주택 가격, 기온, 판매 예측 등이 있습니다. 선형회귀는 데이터 포인트들 사이의 최적의 선형 관계를 찾아내어, 새로운 입력 데이터에 대한 연속적인 출력 값을 예측합니다.

(2) 비지도 학습

비지도 학습은 레이블이 없는 데이터를 분석하여 데이터 내의 숨겨진 패턴이나 구조를 찾는 과정입니다. 클러스터링(Clustering)과 차원축소(Dimensionality Reduction)가 대표적인 비지도 학습 방법입니다. 비지도 학습은 데이터의 자연스러운 구조를 이해하거나, 복잡한 데이터를 더 단순한 형태로 변환하는 데 유용합니다. 이중 클러스터링은 유사한 특성을 가진 데이터 포인트들을 그룹으로 묶는 과정입니다. 이 방법은 시장 세분화, 사회 네트워크 분석, 이미지 분류 등에 활용 됩니다. 클러스터링을 통해 데이터 내의 자연스러운 그룹 핑을 발견하고, 데이터를 더 잘 이해할 수 있습니다.

지도학습과 비지도 학습은 데이터 과학과 기계 학습의 기본 도구입니다. 지도학습은 명확한 출력 값이 필요한 예측 문제에 주로 사용되며, 비지도 학습은 데이터의 구조를 탐색하거나 차원을 축소하는 데 유용합니다. 선형회귀와 같은 지도학습 방법은 데이터 사이의 선형 관계를 모델링하고, 비지도 학습 방법은 레이블이 없는 데이터로부터 유용한 정보를 추출합니다. 데이터 분석 과정에서 이러한 방법들을 적절히 조합하고 활용함으로써, 보다 정확하고 심도있는 결과물을 얻을 수 있습니다.

3-3 회귀 및 분류 모델

지난 3년간의 우리나라 날씨 데이터를 활용하는 예시를 통해, 두가지 머신 러닝 기법인 회귀(Regression)와 분류(Classification)에 대한 이해를 깊게 할 수 있습니다. 이를 통해, 실제 예시를 통한 비교 분석을 시도해보겠습니다. 이를 위해 웹 브라우저 상에서 기상청 날씨누리의 기상 자료 개방 포털[1] 사이트에 접속합니다.

그림 3-3. 기상청 기상자료 개방포털

조건별 통계 항목에서 검색조건으로 기간과 조건을 설정하여 아래의 그림 3-5, 표 3-1과 같이 2021~2023년의 일별 강수량 데이터를 조회 가능합니다.

---

1) https://data.kma.go.kr/

그림 3-4. 조건별 통계에 따른 검색 화면

그림 3-5. 강수량 데이터 차트

(1) 회귀 (Regression)

회귀는 연속적인 수치 값을 예측하는 머신 러닝 기법입니다. 예를 들어, 지난 3년 간의 날씨 데이터를 바탕으로 2024년 8월 2일의 강수 확률을 30%로 예측하는 경우가 이에 해당합니다. 여기서 중요한 점은 예측 결과가 연속적인 수치(강수 확률)

로 나타난다는 것입니다. 이러한 접근 방식은 시간에 따른 날씨 변화, 온도 변화, 습도 변화 등 다양한 연속적인 현상을 모델링하는 데 적합합니다.

표 3-1. CSV나 XLS로 다운로드 가능

목표	연속적인 수치 예측
예시	강수 확률 계산
결과	수치 값 (예 : 30%의 강수 확률)

표 3-2. 회귀 특징 요약

(2) 분류 (Classification)

분류는 주어진 입력 데이터를 사전에 정의된 여러 범주 중 하나로 예측하는 머신러닝 기법입니다. A가 레인부츠를 신어야 하는 날을 결정하기 위해 1시간에 10mm 이상이 내리는 날을 '레인부츠의 날'로 정하는 경우가 이에 해당합니다. 이 예시에서는 강수량에 따라 '레인부츠를 신는 날'과 '신지 않는 날'로 구분하는 불연속적인 결과를 예측합니다. 이러한 방식은 이메일의 스팸 분류, 이미지의 객체 인식 등 다양한 영역에서 활용됩니다.

목표	범주형 레이블 예측
예 시	레인부츠를 신을 날 결정
결 과	범주형 레이블 (예 : '레인부츠 신는날', '안신는날')

표 3-3. 분류 특징 요약

(3) 회귀와 분류의 공통점 및 차이점

둘의 공통점은 둘 다 지도 학습 방법에 속합니다. 즉, 모두 입력데이터와 함께 정답 레이블(목표 값)을 사용하여 모델을 학습시킵니다.

예측의 정확도를 높이기 위해 다양한 알고리즘과 데이터 전처리기법을 적용할 수 있습니다.

둘의 차이점은 결과의 유형에 따라, 회귀는 연속적인 값(예: 온도, 가격, 확률)을 예측하는 반면, 분류는 불연속적인 범주나 클래스(예: 스팸/비스팸, 질병의 유무)를 예측합니다.

적용 분야로는 회귀는 주로 수치를 예측하는 데 사용되며, 분류는 객체를 구분하거나 분류하는 데 사용됩니다.

이러한 비교를 통해, 회귀와 분류는 각기 다른 유형의 문제를 해결하기 위해 설계된 기계학습 기법임을 이해할 수 있습니다. 각기 다른 상황과 요구 사항에 맞게 적절한 기법을 선택하는 것이 중요합니다.

자, 이제 사이버파이를 활용하여 데이터를 시각화해봄으로써, 기계학습의 개념을 실제와 연결하여 이해해 보겠습니다.

(4) 사이버파이 소개

사이버파이는 무선 통신을 위한 ESP32 마이크로프로세서를 탑재하고 있어서

AI 및 IoT응용프로그램이 가능합니다. 다목적 마이크로 컨트롤러이며, mblock프로그램을 통한 블록코딩과 파이썬 코딩 모두 지원합니다.

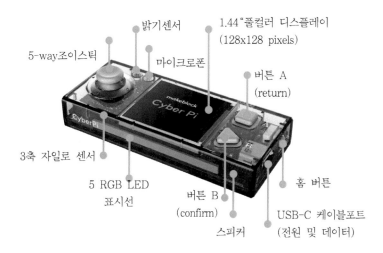

그림 3-6. 사이버파이

그림 3-7. 엠블록 인터페이스

(5) 엠블록 소개

엠블록은 사이버파이를 개발한 메이크블록(Makeblock)사에서 만든 블록코딩 소프트웨어로 사이버파이는 엠블록과 연결하여 사용합니다. 엠블록은 스크래치3.0 기반으로 만들어져 스크래치3.0을 사용해 본 경험이 있다면 누구나 쉽게 이용할 수 있습니다.

동작 스프라이트에 움직임을 추가할 수 있습니다.

제어 스프라이트에 조건을 추가하거나 프로젝트를 종료할 수 있습니다.

형태 스프라이트의 형태를 바꾸거나 대화를 추가할 수 있습니다.

관찰 프로그램상의 변화를 감지합니다.

소리 효과음을 추가할 수 있습니다.

연산 계산식부터 글자를 합쳐 사용할 수 있고 부등호, OR, AND 등을 사용합니다.

이벤트 프로젝트를 시작할 때 어떤 형식으로 시작할지 결정할 수 있습니다.

변수 변수와 리스트를 활용합니다.

(6) 사이버파이의 데이터차트 기능

엠블록의 블록꾸러미 메뉴 하단의 (확장)을 누르면 스프라이트 및 디바이스의 기능별로 메뉴를 추가할 수 있습니다.

그림 3-9의 확장센터가 표시되면 이중 디바이스 확장의 데이터차트 기능을 추가해 봅시다.

데이터 차트 확장 기능을 추가 후 나오는 블록들 중에서 표 3-4의 블록 항목을 참조하여 사용합니다.

이 블록들로 csv외부 데이터를 불러올 수 있으며 (이때, 파일의 크기는 1M 이내여야 합니다.) 리스트로 관련 블록을 연결하여 시각화 가능합니다. 단, 모바일 장치에서 데이터 차트 확장 프로그램을 사용하는 경우 파일을 가져올 수 없고, .csv 파일

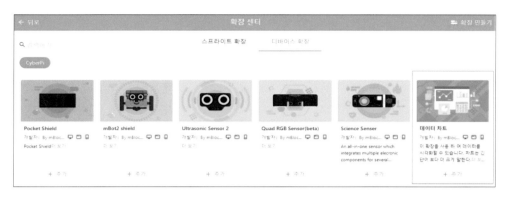

그림 3-9. 확장 센터

의 총 데이터 조각 수는 500개 이내, 데이터 그룹수는 15개를 초과할 수 없으며, 한 데이터 그룹의 데이터 조각 수는 500개를 초과할 수 없습니다.

표 3-4. 데이터차트에서 사용할 블록들

이번엔 차트를 그리기 위해 변수와 리스트를 생성해 보겠습니다. 그림 3-10 변수 항목에서 변수 만들기를 클릭하여 "순서"라는 새로운 변수, 리스트 만들기를 클릭하여 "날짜", "강수량"이라는 새로운 리스트를 생성합니다.

그림 3-10. 변수의 생성

변수와 리스트를 생성 후 만들어진 블록들 중 에서 표 3-5의 블록 항목을 참조하여 사용합니다.

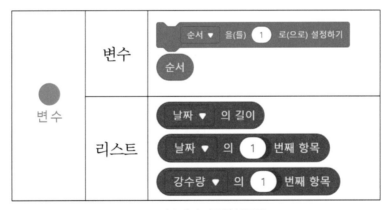

표 3-5. 변수에서 사용할 블록들

앞서 언급했던 것처럼 기상청 자료에서 csv파일을 참조하여도 좋지만 리스트에 관련 항목을 기입하여 시각화하면 연동이 좀 더 자연스럽게 진행됩니다.

그림 3-11의 리스트는 서울의 2021년 일별 강수량 데이터를 활용한 것입니다.

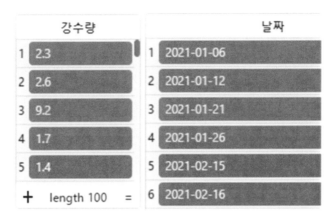

그림 3-11. 리스트의 활용

그럼 데이터 차트 블록과 변수를 활용하여 데이터 차트를 시각화해보겠습니다.

데이터 차트 창 열기 블록으로 데이터 차트 창을 열어 csv파일을 불러오기 메뉴로 불러올 수도 있고(그림 3-12), 그림 3-11과 같이 리스트로 작성하는 방법을 사용할 수도 있습니다. 강수량 리스트와 날짜 리스트를 순서라는 변수를 증가시킴에 따라 차트가 변화하는 모습을 관찰하게 됩니다(그림 3-13).

그림 3-12. csv파일 적용방법

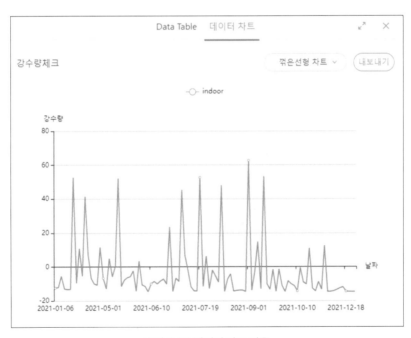

그림 3-13. 데이터 차트 적용

아래는 데이터차트 시각화 완성 코드 1 입니다. 이번에는 사이버파이에 데이터 차트를 디스플레이하는 코드를 구성해 보겠습니다.

그림 3-14. 완성 코드 1

위에서 데이터 차트를 구성했던 블록 요소와 활용 방법은 동일하지만 데이터 차트 블록이 아닌 사이버파이의 화면메뉴 블록을 사용합니다.

표 3-6. 화면(Display)에서 사용할 블록들

그림 3-15의 완성코드 2를 완성코드 1과 동시에 작성합니다.
엠블록 화면에서는 데이터 차트 블록으로 시각화를 진행하고, 사이버파이에서

는 A버튼을 누르면 "강수량 체크" 글자가 표시 된 후 화면이 지워집니다.

그런 다음 일별 강수량에 따른 꺾은선 그래프가 순차적으로 표시가 되어 그림 3-16의 실행화면처럼 사이버파이 디스플레이 화면에 출력되어집니다.

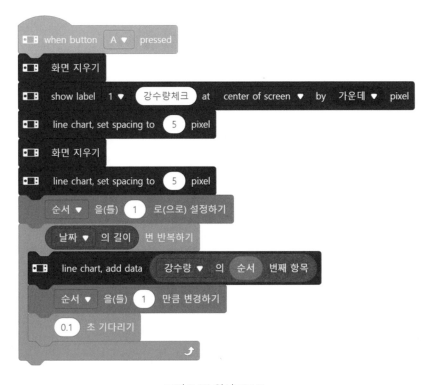

그림 3-15. 완성코드 2

이와 같은 방법으로, 앞에서 언급했던 강수량 대비 레인부츠를 신을 확률을 예측해야 한다면, 분류와, 회귀 어떤 방법을 사용하면 좋을까요?

사이버파이의 LED와 스피커를 활용하여 출력해보고, 마이크를 사용하여 녹음 기능을 사용하는 것도 좋은 방법입니다.

각자 해결방법을 제시해봅시다.

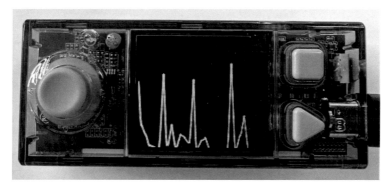

그림 3-16. 사이버파이 실행화면

MEMO

DATA
SCIENCE

CHAPTER

04

뇌파를 활용한
데이터 과학

4-1 뇌파란 무엇인가?

뇌파는 뇌에서 발행하는 전기적 활동을 측정하는 것으로, 일종의 전기적 신호입니다. 이러한 뇌파는 전극을 사용하여 두피 표면에서 측정할 수 있고, 이를 통해 뇌의 활동 상태를 분석할 수 있습니다.

뇌파	주파수	특징
델타파	0.5~4Hz	깊은 수면 상태
세타파	4~7Hz	얕은 수면 상태, 깊은 명상 상태
알파파	8~13Hz	휴식을 취하고 있는 각성 상태
베타파	14~30Hz	일반적인 인지적 사고 활동
감마파	30~80Hz	긴장하거나 흥분 상태

표 4-7. 뇌파의 종류와 주파수

뇌파는 정상적인 뇌 활동뿐만 아니라 뇌 질환 및 장애의 진단, 그리고 뇌 기능 연구 등에 활용됩니다. 또한 뇌-컴퓨터 인터페이스(BCI; Brain-Computer Interface) 기술에서도 사용됩니다. 이것은 사람의 뇌와 컴퓨터를 연결하여 뇌에서 나오는 뇌파를 통해 컴퓨터를 제어하는 기술입니다.

이번 장을 통해 우리는 뇌파의 측정값으로 다양한 데이터 과학을 구현해보고자 한다. 우선 뇌파란 무엇이며 뇌파를 통해 우리 뇌의 활동 상태를 알 수 있다. 이미 시중에 나와 있는 어플과 프로그램을 통해 뇌파의 주파수를 시각적으로 확인할 수 있습니다.

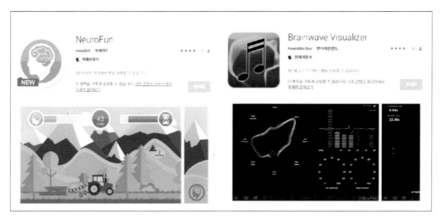

그림 4-1. 뇌파관련 어플(NeuroFun, Brainwave Visualizer)

4-2 뉴로피드백이란 무엇인가?

  뉴로피드백(neurofeedback)은 뇌의 활동을 실시간으로 모니터링하고 이를 피드백으로 제공하여 뇌 활동을 조절하고 최적화하는 기술입니다. 이는 뇌와 마음의 상태를 관찰하고 조절하는데 사용됩니다. 뇌파를 측정하는 전자전도뇌도(EEG) 기술을 활용하여 주로 구현됩니다.

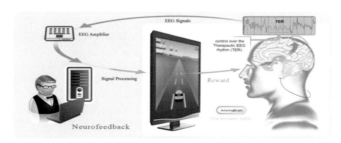

그림 4-2. 뉴로피드백 훈련 및 진행 절차[2]

---

2) 강남구청홈페이지 사이숲 뉴로피드백

뉴로피드백은 다양한 목적으로 사용될 수 있습니다. 일반적으로는 스트레스 관리, 주의력 집중 향상, 수면 개선, 감정 조절, 뇌 기능 향상 등의 목적으로 사용됩니다. 또한 ADHD(주의력 결핍 과잉행동장애)와 같은 질병의 치료에도 적용될 수 있습니다.

4-3 블록코딩 교육용 뇌파 측정기

그림 4-3. 뇌파 측정기와 아두이노 뇌파 표시기

그림 4-3.는 뇌파 측정기를 통해 Attention(주의집중)과 Meditation(명상)값을 측정하고, 아두이노와 엠블록을 활용해 다양한 코딩이 가능합니다. 뇌파 측정을 위한 코딩에 앞서 뇌파 측정기와 아두이노에 블루투스를 연결해 보겠습니다.

마스터 모듈
(아두이노 확장쉴드에 연결)

슬레이브 모듈
(뇌파 헤어밴드에 연결)

그림 4-4. 블루투스(마스터모듈, 슬레이브모듈)

4-4 뇌파 측정기 블루투스 연결

(1) 뇌파 측정기에 슬레이브 모듈을 연결합니다.

슬레이브 모듈
(뇌파 헤어밴드에 연결)

그림 4-5. 블루투스 슬레이브 모듈과 뇌파 측정기 연결

(2) 아두이노에 마스터 모듈을 연결합니다.

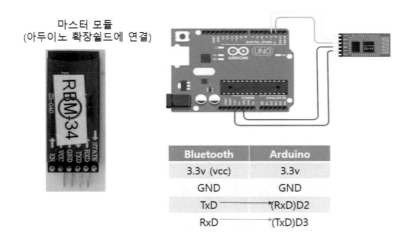

마스터 모듈
(아두이노 확장쉴드에 연결)

Bluetooth	Arduino
3.3v (vcc)	3.3v
GND	GND
TxD	(RxD)D2
RxD	(TxD)D3

그림 4-6. 블루투스 마스터 모듈과 아두이노 연결

4-5 뇌파를 활용한 엠블록 코딩

(1) 장치 추가에 아두이노 Uno를 선택합니다.

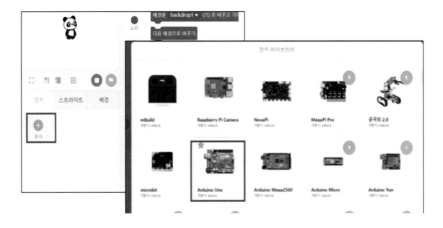

그림 4-3. 뇌파 측정기와 아두이노 뇌파 표시기

(2) 장치에 확장을 클릭하고 "RoboBrain"을 검색 및 설치합니다.

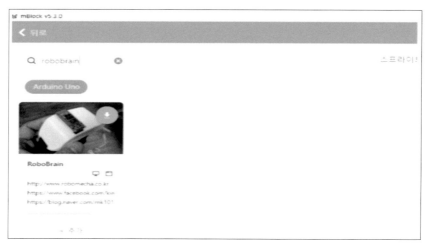

그림 4-8. 아두이노 우노 확장블록 'RoboBrain'

(3) 아두이노 장치에서 확장을 클릭하고 "업로드모드 브로드캐스트"를
검색 및 설치합니다.

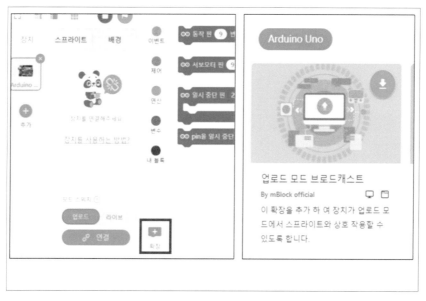

그림 4-9. 아두이노 우노 확장 '업로드모드 브로드캐스트'

(4) 스프라이트에서 확장을 클릭하고 "업로드모드 브로드캐스트"를 검색 및 설치합니다.

그림 4-10. 스프라이트 확장 '업로드모드 브로드캐스트'

(5) 뇌파 측정기의 확장 블록에 대해 알아봅시다.

그림 4-11. 아두이노 우노 'RoboBrain'확장블록

로보메카에서 개발한 RoboBrain의 확장블록은 뇌파 주파수 중 주의집중값과 명상(평정심)값을 뽑아 코딩을 가능하게 블록을 만들었습니다. 주의집중값과 명상 값을 측정해 다양한 게임과 하드웨어 제어가 가능합니다. 자 이제 하나씩 뇌파를 활용해 데이터 값을 읽고, 이를 활용해 차트를 만들어 보겠습니다.

4-6 뇌파측정의 기본코드

소스는 자료실 참고

그림 4-12. 뇌파의 평정심과 집중도 측정 실행화면

뇌파 측정기를 통한 뇌파의 집중도와 평정심의 데이터 값을 엠블록을 통해 확인해 보겠습니다.

그림 4-12를 보면 신호 품질과 평정심, 집중도의 변수 값을 실시간으로 확인할 수 있습니다.

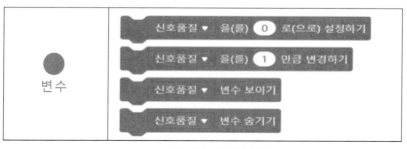

표 4-2. 변수에서 사용할 블록들

평정심, 집중도를 확인하기 위해서 변수 생성 후 만들어진 블록들 중에서 표 4-2의 블록 항목을 참조하여 사용합니다.

(1) 그림 4-13.은 아두이노 Uno 에서 뇌파 신호를 스프라이트로 보내기 위한 기본코드입니다.

그림 4-13. 뇌파측정 기본코드(장치_아두이노 우노)

신호품질, 주의집중, 평온함의 블록을 사용합니다. 주의집중과 평온함의 순수 데이터를 측정하기 위해는 노이즈 (NOISE, 동작을 방해하는 전기신호)값이 0이 되어야 하는데, 이는 그림 4-13. 뇌파측정 기본코드(장치_아두이노 우노)에서도 신호 품질이 0일 때 주위 집중 값과 평온함 값을 메시지로 보내도록 프로그램합니다.

표 4-3. 뇌파 신호 데이터 블록들

(2) 그림 4-14.은 아두이노 Uno에서 받은 뇌파신호를 스프라이트에서
표시하기 위한 기본코드입니다.

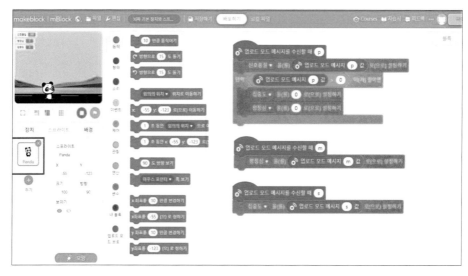

그림 4-14. 뇌파 측정 기본코드(스프라이트_Panda)

뇌파 측정기에서 받은 신호를 블루투스를 통해 아두이노에 전송하고 아두이노
에 전송된 데이터를 그림 4-14. 기본코드로 스프라이트 Panda에서 받는데, 이때
필요한 블록이 업로드모드 브로드케스트 블록입니다. 이 블록을 통해 장치와 스프
라이트의 메시지를 주고받습니다.

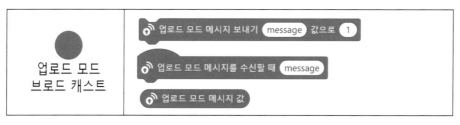

표 4-4. 장치와 스프라이트 간의 메세지 전송할 때 사용할 블록들

4-7 뇌파를 활용한 데이터 차트

(1) 아두이노 장치에서 확장을 클릭하고 스프라이트 확장, 데이터 차트를 검색 및 설치합니다.

그림 4-15. 아두이노 우노 확장, 스프라이트 확장 '데이터 차트'

(2) 데이터 차트 확장 블록에 대해 알아봅시다.

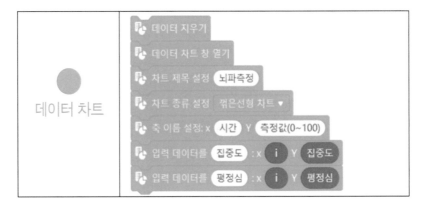

표 4-5. 데이터 차트 블록들

(3) 뇌파의 집중도와 평정심의 데이터를 그림 4-16 과 같이 차트로 표현해 봅시다.

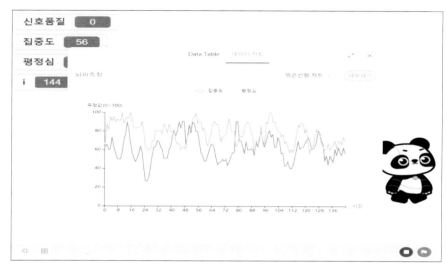

그림 4-16. 뇌파의 데이터 차트 실행화면

그림4-13. 그림4-14.와 같이 뇌파를 측정하기 위한 기본코드를 작성하고, 데이터 차트를 만들 코드를 스프라이트에 추가 작성합니다.

(4) 뇌파를 차트로 표현한 완성 코드

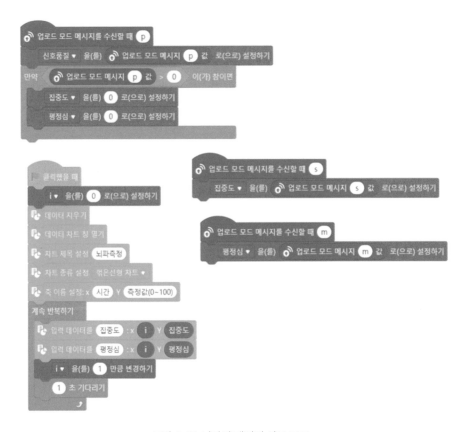

그림 4-17. 뇌파의 데이터 차트 코드

데이터 차트를 통해 책보기, 음악듣기, 게임하기 유튜브 시청 등 다양한 활동에 서의 주의집중 및 평정심을 실시간으로 확인해 볼 수 있습니다.

누구나 쉽게 배우고
누구나 알아야 하는 데이터과학

DATA
SCIENCE

CHAPTER

05

오색 빛의
찬란한 할로코드

5-1 데이터 탐색과 시각화

[데이터 탐색]

데이터 탐색(Data Exploration)은 데이터를 이해하고 통찰력을 얻기 위해 수행 되는 과정입니다. 주어진 데이터의 특성, 구조, 패턴, 관계 등을 파악하여 문 제 해결에 도움을 줍니다. 데이터 탐색은 다음과 같은 단계로 진행될 수 있습니다.

1
데이터 불러오기

데이터를 가져와서 분석 환경에 로드합니다.
주로 csv, 엑셀, 데이터베이스 등의 형식으로 저장된 데이 터를 읽습니다.

2
기초 통계 분석

데이터의 기본적 인 통계량을 살펴보 는 것으로 평균, 중 앙값, 표준편차, 분 위수 등을 계산하여 데이터의 분포와 중 요한 특성을 파악 합니다.

그림 5-1. With DALLE2

3 시각화

데이터를 시각적으로 표현하여 패턴을 발견합니다. 히스토그램, 상자 그림, 산점도, 히트맵 등의 그래프를 사용하여 데이터의 구조를 시각적으로 이해합니다.

4 상관관계 분석

변수 간의 상관관계를 분석하여 어떤 변수가 다른 변수에 어떻게 영향을 미치는지 이해합니다. 상관 행렬, 산점도 행렬 등을 사용합니다.

5 이상치 탐지

데이터에서 이상치(숫자가 터무니없게 큰 수이거 나 0인 수)를 찾아내고, 해당 이상치에 대한 원인을 이해하거나 처리합니다. 상자 그림이나 히스토그램 등을 통해 이상치를 식별합니다.

6 결측치 처리

데이터에 결측치가 있는 경우(빈칸 혹 NULL 값), 이를 처리하고 대체하는 방법을 결정합니다. 결측치를 제거하거나 대체할 수 있습니다.

7 패턴 및 관계 탐색

데이터 내의 패턴이나 변수 간의 관계를 더 깊게 파악합니다. 클러스터링, 주성분 분석 등의 기법을 사용하여 데이터의 구조를 더 잘 이해합니다.

필요에 따라 추가적인 분석을 수행합니다. 예를 들어 시계열 데이터인 경우 시계열 모델링을 통해 미래 값을 예측할 수 있습니다.

데이터 탐색은 데이터 과학 또는 기계 학습 프로젝트의 초기 단계로서 매우 중요합니다. 데이터를 이해하고 전처리하는 데 필요한 정보를 제공하며, 모델링 및 예측 단계에서 더 나은 결과를 얻을 수 있도록 도와줍니다.

[시각화]

시각화(Visualization)는 데이터나 정보를 그래픽으로 표현하는 과정을 말합니다. 이를 통해 데이터의 패턴, 관계, 추세 등을 시각적으로 이해할 수 있습니다. 시각화는 다음과 같은 몇 가지 목적을 가집니다.

데이터의 구조나 패턴을 시각적으로 파악할 수 있습니다. 이를 통해 데이터의 특징을 이해하고 의미 있는 인사이드(통찰력)를 얻을 수 있습니다.

데이터에 내재된 정보를 시각적으로 전달하여 사용자가 쉽게 이해할 수 있도록 돕습니다. 복잡한 데이터를 간단하게 시각화하여 전달할 수 있습니다.

그림 5-1. With DALLE2

3
의사 결정 지원

시각화는 데이터 기반 의사 결정을 지원합니다. 데이터를 시각적으로 표현하면 의사 결정자가 더 나은 결정을 내릴 수 있도록 도와줍니다.

4
전달과 소통

데이터 분석 결과를 시각화하여 다른 사람에게 효과적으로 전달하고 소통할 수 있습니다. 그래픽을 사용하면 더 쉽게 이해되고 기억될 수 있습니다.

시각화를 위해서는 다양한 그래픽 도구와 기술이 사용됩니다. 막대 그래프, 선 그래프, 원 그래프, 히스토그램, 산점도 등의 다양한 차트와 그래프가 사용됩니다. 또한 최근에는 인터랙티브 시각화 기술이 발전하여 사용자가 데이터와 상호 작용하고 탐색할 수 있는 기능을 제공합니다.

5-2 데이터 시각화 도구 활용하여 결과를 표현

할로코드는 다양한 데이터 시각화 도구를 제공하여 분석 결과를 효과적으로 표현할 수 있도록 지원합니다. 사용자의 데이터 유형과 시각화 목적에 따라 적합한 도구를 선택하여 활용하는 것이 중요합니다.

그림 5-3. 할로코드

(1) 사용 가능한 도구

- **막대 차트** : 비교 분석에 적합 (예: 연령별 인구 분포)
- **선형 차트** : 시간 경과에 따른 변화 추세 표현 (예: 주식 가격 변동)
- **파이 차트** : 비율 및 구성 요소 시각화 (예: 성별 비율)
- **산점도** : 두 변수 간의 상관관계 표현 (예: 키와 몸무게)
- **지도** : 공간 정보 시각화 (예: 지역별 매출 현황)
- **테이블** : 데이터 목록 및 세부 정보 표시 (예: 고객 정보)

(2) 도구 선택 가이드

- **데이터 유형** : 막대 차트는 범주형 데이터, 선형 차트는 수치형 데이터에 적합합니다.
- **시각화 목적** : 비교 분석, 추세 파악, 구성 요소 분석 등 목적에 따라 차트 유형을 선택합니다.
- **데이터 양** : 데이터양이 많으면 테이블보다는 차트나 지도를 사용하는 것이 효과적입니다.

(3) 시각화 효과 향상 팁

- **색상** : 명확하고 구분하기 쉬운 색상 사용
- **제목 및 레이블** : 명확하고 간결한 제목 및 레이블 표시
- **범례** : 차트의 각 요소를 명확하게 설명하는 범례 사용
- **필터링 및 상호 작용** : 사용자가 데이터를 탐색하고 분석할 수 있도록 필터링 및 상호 작용 기능 제공

(4) 할로코드 데이터 시각화 도구 활용 예시

- **막대 차트** : 연령별 인구 분포를 시각화하여 각 연령대의 인구 비율을 비교 분석
- **선형 차트** : 지난 1년간의 주식 가격 변동을 시각화하여 추세파악
- **파이 차트** : 성별, 연령, 지역별 매출 비율을 시각화하여 구성 요소 분석
- **테이블** : 고객 정보 (이름, 연락처, 주소, 구매 내역 등)를 표시

(6) 주의 사항

- 데이터 시각화 도구는 데이터를 이해하고 분석하는 데 도움이 되는 도구이지만, 잘못 사용하면 오해를 불러일으킬 수 있습니다.
- 시각화 결과를 해석할 때는 데이터의 특성과 시각화 방법을 고려하여 신중하게 판단해야 합니다.

(7) 결론

- 할로코드 데이터 시각화 도구를 활용하여 분석 결과를 효과적 으로 표현하고 이해할 수 있습니다. 사용자의 데이터 유형과 시각화 목적에 따라 적합한 도구를 선택하고 시각화 효과 향상 팁을 참고하여 명확하고 정확한 시각화 결과를 제시하세요.

    할로코드 마이크센서로 소음측정을 하여 데이터를 필터링하여 데이터를 시각화할 수 있습니다. 그리고 전처리 과정 및 엑셀함수로 원하는 정보를 확인할 수 있는 프로젝트입니다.

    시간을 0.2초 단위로 소리에 대한 반응을 색상으로 표기하는 프로젝트 프로그램은 다음과 같습니다. Mblock에서 장치와 스프라이트에 확장 블록 업로드 모드 브로드캐스트를 추가합니다.

업로드 모드 브로드캐스트

개발자: By mBlock official

이 확장을 추가 하 여 장치가 업로드 모드에서 스프라이트와 상호 작용할 수 있도록 합니다. 더 보기

스프라이트 블록 확장에서 Google 스프레드시트를 선택합니다. 구글계정에서 쓰기 공유하면 mBlock을 사용하여 시트에 데이터를 입력 할 수 있습니다.

장치에서 마이크 음량의 강약에 따른 LED 색상에 변화를 줍니다.

Google 스프레드시트

개발자: By mBlock official

이 확장을 사용 하면 mBlock을 사용 하 여 Google 시트에 데이터를 입력 할 수 있습니다. (Google 서비스 지역 에서만 사용…

[장치 코딩]

· 마이크 음량을 0.2초 단위로 측정합니다.

· 측정값이 『 >30 』 하면 신호를 『 1 』로 보내서 '빨간색' LED로 설정합니다.

· 측정값이 『 >10 』 하면 신호를 『 2 』로 보내서 '파랑색' LED로 설정합니다.

· 나머지는 노랑색 LED로 설정합니다.

· 공유된 구글시트 주소로 코딩된 필드명과 데이터가 실시간으로 기록됩니다.

· 다중 IF함수로 측정값의 조건사용으로 색상을 라벨링 합니다.

　예) =IF(AI>30,'소음',IF(A1>10,'파랑','녹색'))

이러한 조건 값을 통해서 소음측정의 단계별로 구분할 수 있습니다.

[스프라이트 코딩]

```
클릭했을 때
G 공유 시트에 연결    https://docs.google.com/spreadsheets/d/1nYNd1Ed3DBtAlcnjRnz9zZX7c3jcf714H_OwJSlnXmk/edit#gid=0
  행증가 ▼ 을(를) 0 로(으로) 설정하기
  초 ▼ 을(를) 0 로(으로) 설정하기
G 입력 초 열에 1 행 1
G 입력 소음측정 열에 2 행 1
  G 열에서 셀 값 읽기 1 행 1 을(를) 2 초 동안 말하기
  10 번 반복하기
    ꙮ 업로드 모드 메시지 message 값 을(를) 2 초 동안 말하기
    만약 ꙮ 업로드 모드 메시지 message 값 > 30 이(가) 참이면
      행증가 ▼ 을(를) 1 만큼 변경하기
      초 ▼ 을(를) 0.2 만큼 변경하기
      G 입력 초 열에 1 행 행증가 + 1
      G 입력 ꙮ 업로드 모드 메시지 message 값 열에 2 행 행증가 + 1
      ꙮ 업로드 모드 메시지 보내기 1
      0.01 초 기다리기
    아니면
      만약 ꙮ 업로드 모드 메시지 message 값 > 10 이(가) 참이면
        행증가 ▼ 을(를) 1 만큼 변경하기
        초 ▼ 을(를) 0.2 만큼 변경하기
        G 입력 초 열에 1 행 행증가 + 1
        G 입력 ꙮ 업로드 모드 메시지 message 값 열에 2 행 행증가 + 1
        ꙮ 업로드 모드 메시지 보내기 2
        0.01 초 기다리기
      아니면
        행증가 ▼ 을(를) 1 만큼 변경하기
        초 ▼ 을(를) 0.2 만큼 변경하기
        G 입력 초 열에 1 행 행증가 + 1
        G 입력 ꙮ 업로드 모드 메시지 message 값 열에 2 행 행증가 + 1
        ꙮ 업로드 모드 메시지 보내기 3
        0.01 초 기다리기
```

[구글시트의 데이터 시각화]

공유시트 주소를 복사하여 브라우저에 붙여넣기 하면 실시간으로 할로코 드와 상호작용합니다.

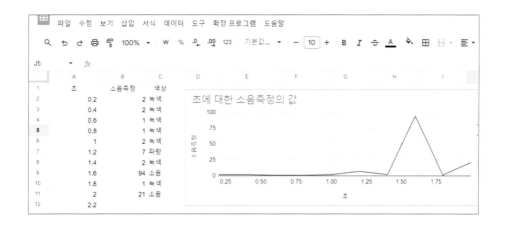

시간의 흐름에 따른 소음측정은 시간의 상관계수를 확인할 수 있습니다.

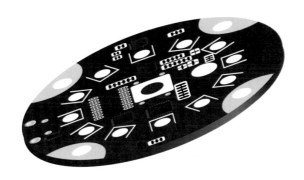

DATA
SCIENCE

CHAPTER

06

난 네게 반했어
마이크로비트
(micro:bit)

6-1 가속도로 스쿼트 자세교정(예측)

마이크로비트를 활용한 데이터 표기방법은 여러 가지가 있습니다. 5가지로 정리하자면 다음과 같습니다.

<마이크로비트를 활용한 데이터 표기방법>

마이크로비트	마이크로비트 LED에 데이터 표기
데이터 표시장치	시뮬레이터, 장치구성
MY.DATA	웹 문서로 데이터 저장
CSV	구글 시트를 활용한 데이터 정제 및 전처리 Data스트리머를 활용한 전처리 및 데이터시각화
엔트리	데이터 분석을 통한 데이터 표 만들기 및 차트표현

위와 같은 방법으로 데이터를 표현 합니다. 가속도는 물체의 속도가 단위 시간당 얼마나 변하는지를 나타내는 물리량입니다. 수학적으로는 다음과 같이 표현됩니다.

$$가속도(a) = \frac{변화하는\ 속도}{변화하는\ 시간}$$

이를 더 쉽게 이해하기 위해 예를 들어 보겠습니다. 가속도는 물체가 얼마나 빨리 또는 느리게 움직이는지에 대한 정보를 제공합니다.

예를 들어, 자동차가 정지 상태에서 출발하여 10초 동안에 20m/s의 속도에 도달한다고 가정해 봅시다. 이 경우, 가속도는 다음과 같이 계산됩니다.

그림 6-1. with DALLE

$$가속도(a) = \frac{20m/s - 0m/s}{10초} = 2m/s$$

이것은 시간당 속도가 2미터씩 증가한다는 것을 의미합니다. 따라서 가속도는 속도의 변화율을 나타내는 중요한 물리량입니다.

가속도와 운동량은 물리학에서 다른 개념이지만, 두 개념은 서로 관련이 있습니다.

운동량은 방향성을 가지며, 물체가 움직이는 정도를 나타냅니다. 물체의 속도가 변하면 운동량도 변합니다. 다이어트 운동량은 물체의 질량과 속도의 곱으로 정의됩니다. 수학적으로는 다음과 같이 표현 됩니다.

$$운동량(p) = 질량(m) \times 속도(u)$$

관련성 측면에서, 뉴턴의 두 번째 법칙은 가속도와 운동량을 연결 짓는데 도움이 됩니다. 뉴턴의 두 번째 법칙은 다음과 같습니다.

$$F = m \times a$$

여기서 F는 작용하는 힘, m은 물체의 질량, a는 가속도를 나타냅니다. 이 법칙은 힘이 물체에 가해져서 가속도를 일으키며, 이로 인해 운동량이 변화한다는 관계를 보여줍니다. 이러한 물리량을 통한 다이어트 운동량을 이해하고 시각화 하려고 합니다.

마이크로비트에는 3축(X, Y, Z) 가속도 센서가 내장되어 있습니다. 만약 마이크로비트의 LED면이 위로 향한다면, 지구의 중력이 z축 방향의 반대로 작용하므로 다음과 같이 측정됩니다.

· x축 = 0
· y축 = 0
· z축 = -1023
(단위: 국제단위계로 환산하면, $-9.8m/s^2$)

이러한 일련의 관계를 기지고 자세교정 스쿼트 다이어트 프로그램을 마이크로비트로 구현해보고자 합니다.

먼저 마이크로비트의 제원 및 기능에 대해서 알아봅니다. 마이크로비는 삼성전자와 BBC와 협업을 통해서 만든 초소형 컴퓨터로 나침반, 기울기센선, 가속도, 블루투스, 입력(터치; 로고, 버튼), 출력(제어)이 가능한 컴퓨터라고 볼 수 있습니다. 확장성 및 유연하게 각종 센서하고 연동이 가능해서, 자동차 제어, 드론, 앱인벤터, 스마트팜, IOT, AIOT 구현 및 실습이 가능합니다.

그림 6-2. 마이크로비트 V2(왼쪽부터 전면, 후면)

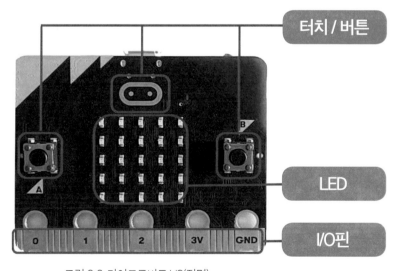

그림 6-3. 마이크로비트 V2(전면)

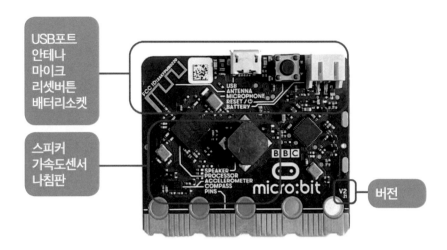

그림 6-4. 마이크로비트 V2(후면)

기타 외 제원은 실습을 통해서 확인하겠습니다. makecode, 엔트리, 엑셀, 구글시트를 활용한 센서 데이터시각화를 통한 자세교정스퀴트 프로젝트를 해보겠습니다.

준비사항 : 마이크로비트, USB 5핀 케이블(15m이상), PC, 엔트리, makecode, 엑셀(버전 365, 2016 이상 가능), 구글시트 인터넷 https://makecode.microbit.org/ 접속합니다. 마이크로비트 전용 웹 블록코딩사이트에서 데이터시각화 프로그램을 구현하고자 합니다.

기본 데이터시각화를 센서를 통해서 확인해보겠습니다.

새 프로젝트 클릭 후 프로젝트 이름을 『데이터 실습』으로 기입 후 생성 버튼을 누릅니다.

먼저 빛 밝기, 온도, 가속도, 흔들림, 소리센서 등을 활용한 데이터 활용을 해보겠습니다.

가속도센서 데이터 : 가속도 변화에 따른 LED 확장 및 데이터를 시각화하는 방법은 다음과 습니다.

변수 값을 'a'로 만든 다음 코딩합니다.

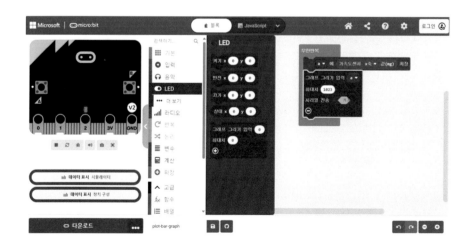

1. 마이크로비트 LED 확장(가속도 X축 값에 따라 변경)

2. 데이터 표시 장치구성 : 데이터시각화 구현

가속도센서 코딩

매번 코딩이 완료되면 하단에 ... 메뉴그림을 선택 -> 장치 연결
메뉴를 클릭하면 BBC micro:bit CMSIS-DAP 클릭 -> 연결 버튼
누르면 마이크로비트와 PC와 상호작용 됩니다.

첫 번째로 데이터 표시 시뮬레이터 메뉴를 통해서 센서의 작동 상태를 확인 및 수동 제어하여 실제적으로 데이터 장치구현을 확인할 수 있습니다.

두 번째로 데이터 표시 장치 구성 버튼을 누르면 다음과 같은 결과 값을 확인할 수 있습니다.

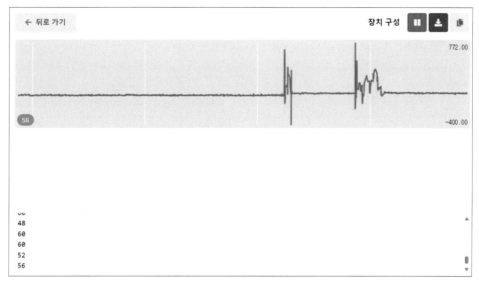

『데이터 표시 장치 구성』 가속도센서 데이터 시각화

위와 같은 방법으로 빛 밝기, 온도, 소리센서를 확인해봅니다.

6-3 DataStreamer 활용

- 프로젝트 : 스쿼트 자세교정(makecode + 엑셀 + 구글시트) 가속도 X, Y, Z 축
을 사용해서 자세교정 스쿼트 프로그램을 구현해 보겠습니다.

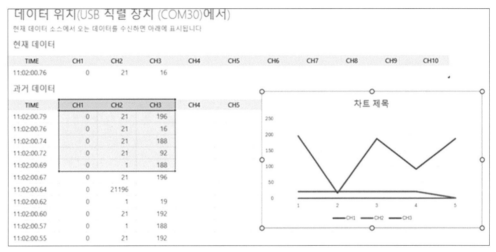

그림 6-5. 엑셀365 스트리머

엑셀 활용 실시간 데이터 측정 - 데이터 스트리머를 사용하기 위해서 "데이터스
트리머(DataStreamer)"를 사용합니다. 데이터를 실시간으로 처리하고 분석하는
기술이나 서비스를 가리키는 용어입니다. 이는 큰 데이터 흐름을 실시간으로 수집,
처리, 분석하고, 때로는 저장하는 과정을 포함할 수 있습니다.

데이터 스트리밍 기술은 다양한 분야에서 활용되며, 히 인터넷 서비스, 금융 거
래 분석, 사물 인터넷(IoT), 빅 데이터 분석, 실시간 모니터링 시스템 등에서 중요한
역할을 합니다.

데이터 확장에서 DataStreamer를 클릭하면 확장 블록이 추가됩니다.

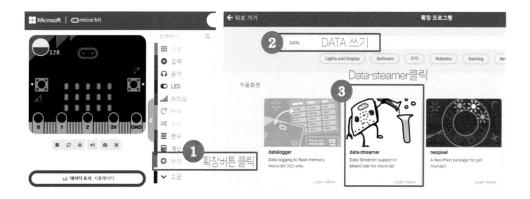

데이터 스트리머 블록을 확인하고 다음과 같이 빛 밝기, 온도, 가속도 센서를 활용한 실시간 엑셀연동 프로그램을 제어합니다.

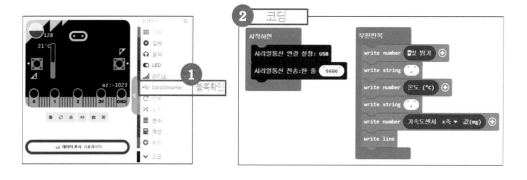

엑셀에서 데이터스트리머를 파일 ▶ 옵션 추가기능 ▶ COM추가▶ DataStreamer를 선택하면 다음과 같은 메뉴가 생성됩니다.

1. 장치연결을 클릭

2. USB 직렬 장치를 클릭

데이터가 실시간으로 업데이트 되면서 수치 값을 통해서 결과화면을 통해서 데이터를 이해 할 수 있습니다. 그러면 데이터를 전처리를 통해서 정제화한 다음 원하는 정보를 만들 수 있습니다.

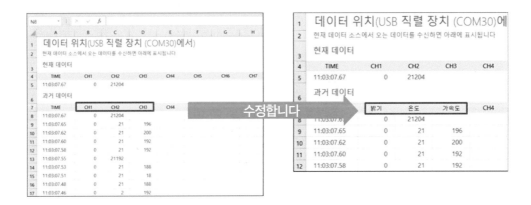

엑셀 스트리머로 나온 결과를 차트로 시각화하여 데이터를 예측할 수 있습니다.

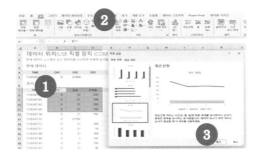

1 드래그 영역지정을 합니다.

2 추천차트를 클릭합니다.

추천
차트

3 꺾은 선형 차트를 선택 후 확인 버튼을 클릭합니다.

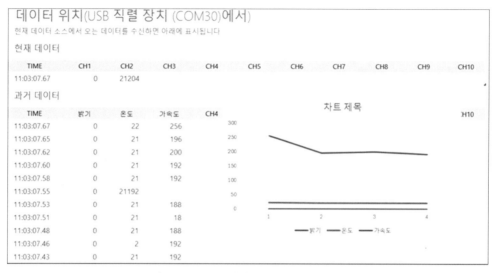

꺽은선형 차트를 선택하면 각 데이터별 상관계수를 이해하고 예측할 수 있는 경험치 데이터를 확인 할 수 있습니다.

그림 6-6. Data 스트리머 차트 시각화 결과 화면

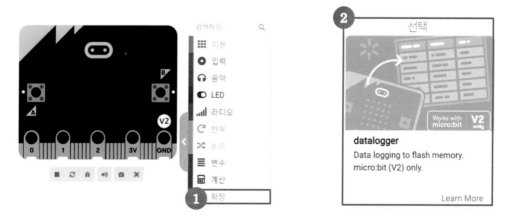

MY_DATA 파일을 사용하여 데이터 표기 및 그래프로 시각화의 방법은 마이크로비트의 다른 매력이라고 볼 수 있습니다.

확장블록에서 datalogger 앱을 설치 후 웹페이지에서 데이터 값을 확인 할 수 있습니다.

선택된 확장 블록에서 로그블록 확인합니다. 로그 블록을 설치하면 프로그램 다운로드시 micro:bit 플래시 드라이브에 MY_DATA.HTM 파일이 생성됩니다.

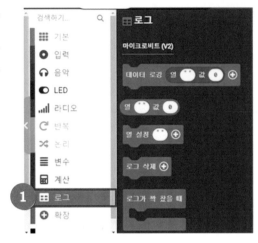

데이터 코딩(빛밝기, 온도, 가속도)을 다음과 같이 작성합니다. 필드설정을 '시작하면' 블록에서 정의(열 설정 이름)를 하면 0.5초마다 데이터가 기록될 수 있도록 코딩합니다.

코딩을 한 후 '데이터 표시 시뮬레이터'를 클릭 한 후 데이터 실습을 실행하여 예측할 수 있습니다.

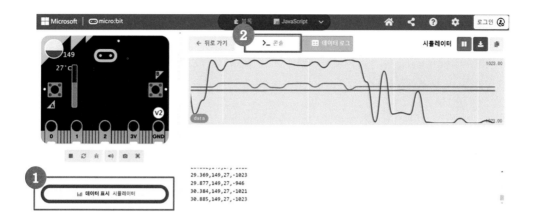

먼저 콘솔을 선택하여 차트선 3개가 의미하는 것을 이해합니다. 각 차트 선은 각각 빛 밝기, 온도센서, 가속도에 해당합니다. 다음으로 데이터 로그를 선택하여 정형데이터가 시간의 추이에 따른 데이터센서 변화를 이해 할 수 있습니다.

다음 시뮬레이터 기반 학습을 토대로 '데이터 표시 장치구성'을 실행합니다. 다운로드 메뉴에서 『장치연결』을 합니다. USB포트를 선택한 다음 플래시메모리에 다운로드합니다.

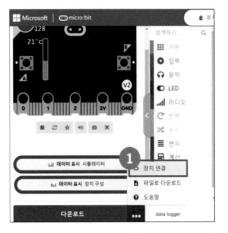 

데이터 다운로드 - 장치연결 ▶ USB 포트 연결 ▶ 다음 ▶ 연결

연결 후 마이크로비트 플래시에 다운로드 하고, 데이터 표시 장치 구성을 선택하면 장치 구성 데이터를 실시간으로 확인할 수 있습니다.

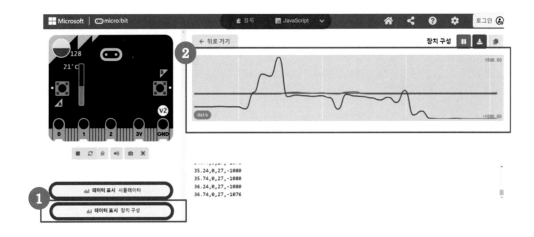

컴퓨터 드라이브에서 'MICROBIT' 플래시 드라이브를 선택합니다. 선택하면 아래와 같이 MY_DATA.HTM 파일이 생성되었음을 확인 할 수 있습니다.

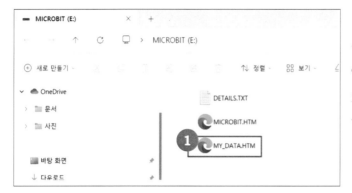

MY_DATA.HTM을 선택하면, 웹페이지 상태에서 실습된 데이터 값과 차트를 확인 할 수 있습니다.

실행화면을 보면 다운로드, 복사, 업데이트, 화면지우기, 데이터 시각화 메뉴를 확인 할 수 있습니다. 이미지는 시간의 추이에 따른 빛 밝기, 온도, 가속도 센서를 확인 할 수 있습니다. Visual preview를 클릭하면 데이터 시각화를 확인 할 수 있습니다.

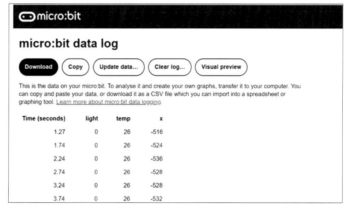

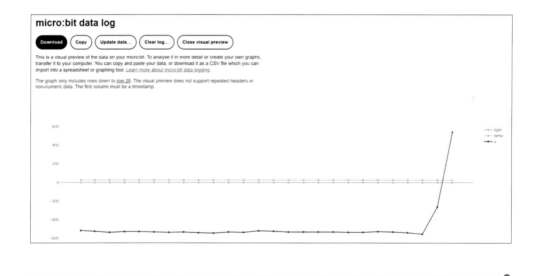

다음은 블록코딩을 통한 데이터코딩을 통한 표 만들기를 해보겠습니다.

엔트리 코딩을 하기위해서는 패치파일을 공식홈페이지에서 다운로드 받아서 드라이브에 설치합니다.

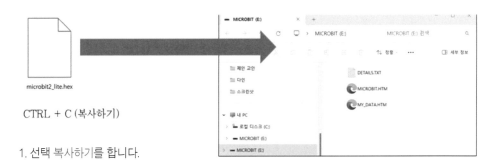

microbit2_lite.hex

CTRL + C (복사하기)

1. 선택 복사하기를 합니다.

2. 내 PC에서 MICROBIT 드라이브에 붙여넣기 합니다.

패치이후에는 엔트리 하드웨어 연결을 통한 상호작용을 합니다.

1. 하드웨어 연결하기를 클릭 합니다.

2. 브라우저로 연결하기를 클릭 합니다.

3. 마이크로비트를 클릭 합니다.

다음과 같은 일련의 과정을 통해서 엔트리와 연결합니다.

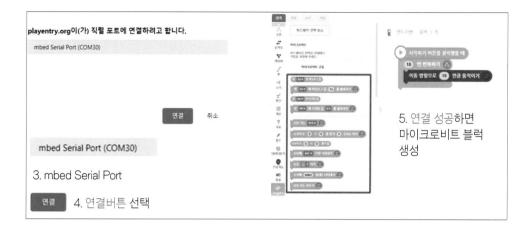

온도와 밝기센서 테이블 구현 코딩을 다음과 같이 합니다.

먼저 테이블을 불러오고 테이블 추가하기를 합니다. 새로 만들기 메뉴에서 새로 만들기 메뉴를 추가합니다.

1. 데이터 추가하기 버튼 클릭합니다.

테이블 추가하기

2. 새로만들기 메뉴 클릭 ▶ 추가하기 메뉴 클릭

새로 만들기   추가하기

필드명은 설정합니다. 테이블 이름은 '온도와 밝기센서'라고 합니다.
다음과 같은 일련의 과정을 통해서 표를 만듭니다.

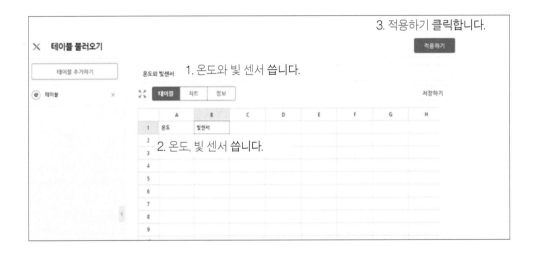

데이터를 2행부터 피지컬 코딩을 통한 실시간 로그를 하려고 합니다. 그러면 변수를 통한 카운터 개수를 만들어서 10회까지 데이터를 기록하는 코딩을 해보겠습니다.

1. 자료 메뉴 클릭합니다.

2. 변수 만들기 클릭합니다.

1. 변수 메뉴 클릭합니다.

다음과 같이 코딩합니다.

프로그램 실행시 스페이스바와 q키를 사용하여 제어합니다.

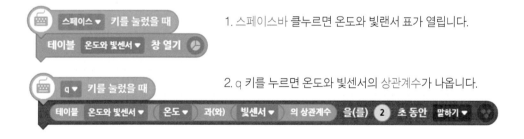

1. 스페이스바 클누르면 온도와 빛랜서 표가 열립니다.

2. q 키를 누르면 온도와 빛센서의 상관계수가 나옵니다.

※ 상관계수는 -1, 0, 1 로 구분되는데 1에 가까울수록 관계가 있다는 것입니다.

스페이스바를 누르면 다음과 같은 결과화면을 볼 수 있습니다.

6-4 데이터로 알아보는 운동량

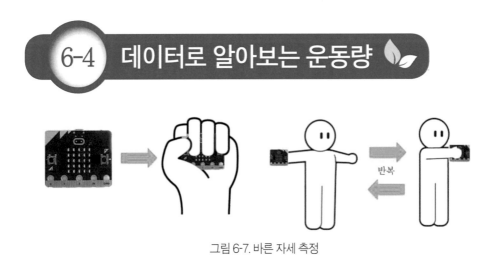

그림 6-7. 바른 자세 측정

X, Y 값의 변동 값 대비 Z값 유무를 통한 자세교정 프로그램을 코딩을 통해서 데이터 변화에 따른 예측을 해보고자 합니다.

마이크로비트의 가속도센서 방향을 이해합니다. 버튼A와 버튼B 사이를 X축 방향이며 로고 방향 위아래는 Y축입니다. Z축은 높이 부분으로 LED 위로 아래로의 방향을 갖습니다. 이렇게 운동방향을 정확하게 이해합니다.

프로그램을 하기 위해서 편집기 메이크 코드를 실행합니다. (https://makecode.microbit.org)

동작을 변경해가며 사용자의 실시간 자세 데이터 수집하기 코딩을 다음과 같이합니다.

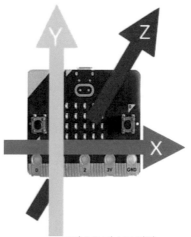

그림 6-8. 가속도 방향

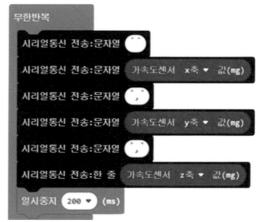

데이터 표시 시뮬레이터를 통해서 가상의 데이터를 분석하여 가속도의 위치 및 바른 자세를 연습할 수 있습니다.

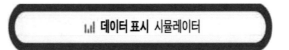

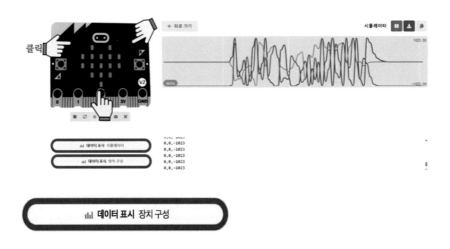

데이터 표시 시뮬레이터를 클릭 후 마이크로 비트의 가속도 X, Y, Z 좌표를 이해합니다.

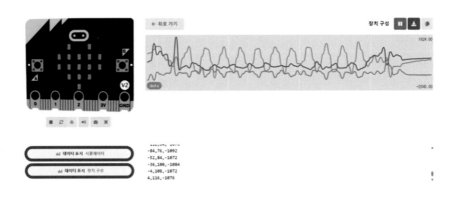

6-5 게임으로 알아보는 데이터시각화

마이크로비트 레트로 게임은 초소형 컴퓨터 마이크로비트로 만드는 간단한 고전 게임입니다.

테트리스나 스네이크 같은 재미있는 게임을 직접 만들어 보며, 코딩과 전자공학의 기초를 배울 수 있습니다.

micro:bit Retro Shield

Use the micro:bit with an expansion board from Elecfreaks

Learn more

이 과정을 통해 문제 해결 능력과 창의력을 키울 수 있습니다. 여기서는 간단한 데이터 시각화 게임을 구현해보고자 합니다.

랜덤 카운터 주사위프로그램을 활용한 데이터시각화를 해보고자 합니다. 이것은 마이크로비트 레트로게임으로 시각적으로 누름의 양을 비교하여 데이터를 시각화 할 수 있습니다.

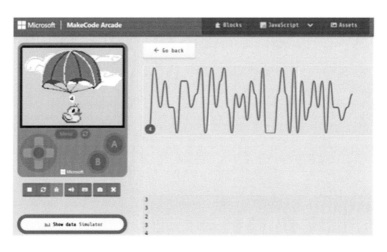

[랜덤 카운터 코딩-1]

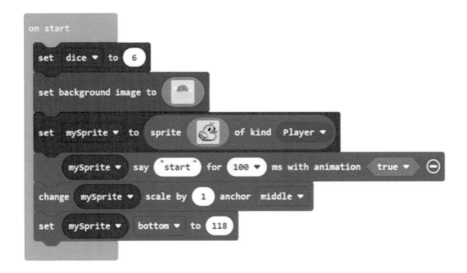

· Dice변수를 만듭니다.

· 배경을 설정합니다.

· 스프라이트를 갤러리에서 선택합니다.

· 스프라이트에서 'start' 글자가 나오게 합니다.

· 스프라이트의 사이즈를 조절합니다.

· 스프라이트의 위치를 아래로 합니다.

[랜덤 카운터 코딩-2]

· A 버튼을 누르면 이벤트가 발생합니다.
· 주사위 랜덤수를 1~6까지 합니다.
· 스프라이트가 주사위 결과 값을 말합니다.
· 주사위 값을 데이터 시각화 합니다.

[랜덤 카운터 시각화(A버튼 클릭하면 시각화)]

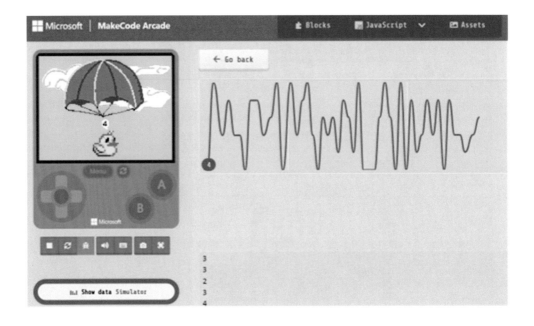

[랜덤 카운터 엑셀데이터로 변환]

· 🔽 다운로드 버튼 클릭
· 엑셀 파일을 클릭합니다.

[랜덤 카운터 엑셀 데이터 시각화]

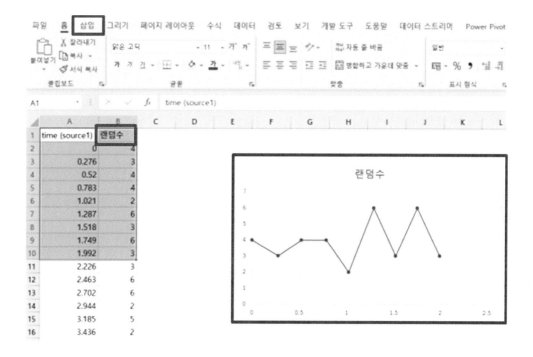

· B1열에 랜덤수 라고 표기

· 데이터를 선택

· 삽입메뉴 에서 꺾은 선형 차트 선택

· 시간의 추이에 따른 빈도수 확인 가능

자료실(소스파일)

· 인터넷 주소 : bit.ly/데이터과학1004

제 3 화 천하무적 MCU 사이버파이

제 4 화 뇌파를 활용한 데이터 과학

제 5 화 오색 빛의 찬란한 할로코드

제 6 화 난 네게 반했어 마이크로비트

제 4화 뇌 파 를 활 용 한 데 이 터 과 학
· 참 고 사 이 트 : https://m .site.naver.com /1le1w

누구나 쉽게 배우고 누구나 알아야 하는

데이터과학

(아두이노, 사이버파이, 할로코드, 마이크로비트, 뇌파측정기)